这里是河北

碧海清波

BIHAI QINGBO

主编 丁伟 徐凡
著 刘亚荣

河北出版传媒集团
花山文艺出版社
方圆电子音像出版社

河北·石家庄

图书在版编目（CIP）数据

碧海清波 / 刘亚荣著. -- 石家庄：花山文艺出版社, 2023.12
（"这里是河北"丛书 / 丁伟, 徐凡主编）
ISBN 978-7-5511-0519-4

Ⅰ.①碧… Ⅱ.①刘… Ⅲ.①散文集－中国－当代 Ⅳ.①I267

中国国家版本馆CIP数据核字(2023)第195105号

丛 书 名：	"这里是河北"丛书
主　　编：	丁　伟　徐　凡
书　　名：	碧海清波
著　　者：	刘亚荣
出 版 人：	郝建国
出版监制：	陆明宇　李　利　唐　丽
出版统筹：	李　彬　王玉晓
责任编辑：	甘宇栋
特约编辑：	蒋海燕　杨玉岭
责任校对：	李　伟
封面设计：	书心瞬意
装帧设计：	李关栋　张　曼
美术编辑：	胡彤亮　王爱芹
出版发行：	花山文艺出版社 方圆电子音像出版社
销售热线：	0311-88643299/96/17
印　　刷：	保定市正大印刷有限公司
经　　销：	新华书店
开　　本：	710毫米×1000毫米　1/16
印　　张：	12.25
字　　数：	137千字
版　　次：	2023年12月第1版 2023年12月第1次印刷
书　　号：	ISBN 978-7-5511-0519-4
定　　价：	73.50元

（版权所有　翻印必究·印装有误　负责调换）

融媒体电子书

目录

https://h5.fangyuanpress.com/bh.htm

第一单元
渤海之滨

壹 多彩海岸　　/ 002
贰 沧海与桑田　/ 016

第二单元
伴海而生

壹 丰富海产　　/ 046
贰 鸟的天堂　　/ 073

第三单元
沧海明珠

壹 海的赐予 / 088
贰 岛屿风情 / 108
叁 历史文化 / 123

第四单元
三港鼎力

壹 秦皇岛港 / 140
贰 唐山港 / 148
叁 黄骅港 / 159

第五单元
冀景撷英

北戴河　/ 172

南戴河　/ 174

昌黎黄金海岸　/ 176

老龙头　/ 178

鸽子窝公园　/ 180

碧螺塔公园　/ 182

唐山湾国际旅游岛　/ 184

仙螺岛　/ 186

翡翠岛　/ 188

扫码听书

扫码看视频

第一单元

渤海之滨

壹 >> 多彩海岸

　　高山峻岭，草原大漠，平原丘陵，绵延近千里的海岸线，将河北大地装扮得多姿多彩。

　　从空中俯瞰。渤海海岸线弯弯曲曲，像是被自然之手随意雕琢而成。海水颜色如同打翻了调色板，由泥黄到蔚蓝再到墨绿。波涛汹涌，海鸥翱翔。

◎ 渤海海岸线／视觉中国　供图

渤海三面环陆，是我国最大的内海，往东与黄海相连。关于渤海的形成，地质史上大致的说法是其经历了自陆地到湖泊、再到大海的演变。相对于黄海和南海，渤海近似封闭状态。

碧海清波 004

渤海隶属于河北的部分，位于秦皇岛、唐山和沧州地区。按照海洋存在的规律，靠近大陆的海水比较浅，因此，渤海属于浅海。

顺沿海高速公路从秦皇岛出发，经唐山，过天津，抵达沧州，一路风光不同，岩石、砂质和粉砂淤泥构成的海岸，仿佛一个舞台，在海浪的伴奏下，演绎着燕赵大地独有的韵味和风采。从秦皇岛的山海相依到沧州的一马平川，海岸的变化在视野里清晰起来。沧州黄骅海岸一带，由于距离黄河入海口不远，海水呈泥黄色。这样的水域，却孕育着赫赫有名的海盐场和梭子蟹等海产。

约六千五百万年前，新生代新构造活动加剧，河北平原西北部隆升、东南部下降，形成北东至南西方向的三级阶梯状地貌，低山、丘陵、台地、平原、海滩的依次变化，可以概括为断块构造低山、丘陵台地和海岸带三大地貌单元。

◎ 左页图　渤海湾晨韵 / 周秦明　摄

秦皇岛地区海岸呈波状弯曲的岬湾式和岬角湾式，这样的岩石海岸是修建港口的重要条件。

河北境内渤海沿岸的第一座天然港口秦皇岛港建在这里，也就不足为奇。

海纳百川，辽河、滦河、海河及黄河给渤海带来了大量泥沙，使得渤海海底平坦，饵料丰富，盛产对虾、黄花鱼、螃蟹等海鲜。长期的地质演变，让这里石油、天然气资源丰富。

渤海西岸，有星罗棋布的盐田，其中长芦盐场为国内最大的海盐生产基地，还有著名的唐山港和秦皇岛港等连通世界的港口。艘艘货轮，自渤海湾启程，通过渤海海峡至黄海、东海，进太平洋，形成重要的海上贸易通道。在繁忙的港口，橙色的装卸架伸向半空，白色的货轮穿梭在蔚蓝的大海，成为新时代渤海湾的新风景。

◎ 右页上左图　秦皇岛北戴河／崔重辉　摄
◎ 右页上右图　秦皇岛港／郝坤　摄
◎ 右页下图　滦河口／薛晓丽　摄

渤海之滨

第一单元

碧海清波

小浪、大浪，所有拍岸的浪花都是海吟唱的音符，低音、中音或高音花腔，沙滩边、礁石上，海涛的音乐无处不在。

薄雾笼罩的清晨，蔚蓝的大海在晨曦中若隐若现，阳光从海的深处跳出来，金色铺满大海，一栋栋楼房从迷雾中露出来，树木花草重新焕发出五颜六色的风采，生机勃勃的海港城市秦皇岛醒了。

海平线和天际线连在一起，凝固般静止不动。近海与远海，用声音和色彩传递着各自的消息。

有渔船出海了。海岸上，不时漂来淡棕色半透明的海蜇、葱绿的裙带般的海带，还有蛤蜊和海螺。这都是大海的馈赠。

◎ 左页上图　北戴河海浪／苏艳华　摄
◎ 左页下图　秦皇岛港／崔重辉　摄

◎ 上图　霞光掩映老龙头／张丽　摄
◎ 右页图　北戴河鸽子窝公园／刘滨义　摄

　　站在山海关，眺望日落，油画般的美景令人震撼。夕阳不紧不慢地钻入深灰色的云层，将云的四周涂成金色。接着又不甘地跳出来，用余晖映照渤海湾，半海瑟瑟半海红。返航的渔船金光闪闪，呜呜呜叫着，加足马力冲向海岸线。此时，夕阳一改慢腾腾的节奏，跃入燕山中，霎时，山的雄姿呈现出来。山顶和天边的云都金灿灿的，仿佛一个美好的童话世界。

坐在渤海湾西岸，面向大海，海浪带着涛声一波一波滚上岸，又迅疾撤退。浪花打在脚下的礁石上，努力兑现着滴水穿石的诺言。时间这个魔术师将神话变成现实。眼前的礁石布满大大小小的洞，小的如黄豆，大的赛过鸽蛋，这就是有名的海蚀穴。绿色的裙带菜随着海浪，漂至礁石下，一漾一漾的，舞蹈般。

夜色中，海变为靛蓝色，仿如一匹巨大的蓝绸布浸入大海，靛蓝的天空与靛蓝的海无缝连接在一起，不分你我。海并不拒绝人类，它们友好地将一栋栋楼包围在海天一色里。如果没有几栋海边的建筑，大海便显得空阔，也缺少了参照。而有了这些建筑，大

◎ 曹妃甸湿地／王爱军　摄

海便有了纬度，有了世俗生活的温度。

在沿海湿地，及沿岸河口浅水区、潮间带，长着茂盛的芦苇、碱蓬和藻类，这里是鸟类繁殖、迁徙、生存的重要场所。在不同的时间段，雁鸭类、鹤类、鸻鹬类，在里面繁衍生息，游禽、涉禽各得其所。

碧海清波

> 沧海桑田，渤海潮涨潮落，渔民随着鱼汛出海捕鱼，银光闪闪的鱼在甲板上弹跳着，夕阳将至，渔船满载而归。

码头上，头戴草帽或围着纱巾的渔妇提着桶，哼着喜悦的歌，奔向靠岸的渔船。松软的沙滩上，留下散乱的脚印，也留下一地欢歌。这是沙软潮平的秦皇岛数十年前的景象。如今，现代都市秦皇岛和黄骅港隔渤海湾遥遥相望，处在渤海臂弯处的秦皇岛更是以旅游胜地、港城闻名世界。

丰富的渔业资源，美丽的黄金海岸旅游，让渤海无愧于蓝色宝藏之名。

◎ 左页图　渤海湾／陈书铎　摄

贰 >> 沧海与桑田

1. 海边"桑田"

在黄骅一带的渤海海岸，蓝天与泥浆般的海水就那么叠在一起，海浪紧挨着黄色漩涡，大大小小的水鸟爪印凌乱地印在淤泥里。

这就是渤海湾粉砂淤泥质的海岸，属滩涂地貌，适于海水养殖，也盛产优质海盐。

所谓粉砂淤泥质海岸，以淤泥质和粉砂质沉积物为主，由极细小的粉砂淤泥组成。这种海岸线多出现在大河入海口，地形平坦，一望无际。淤泥渗透性差，故而这漫长的海岸线里饵料丰富。每当潮水退去，滩涂上的鸟吃饱了，便悠闲地散着步。迎着霞光的赶海人，随手就能捡到大海赐予的花蛤、毛蚶、蛏子，收获着喜悦。

◎ 右页图　滩涂/刘滨义　摄

渤海之滨　第一单元

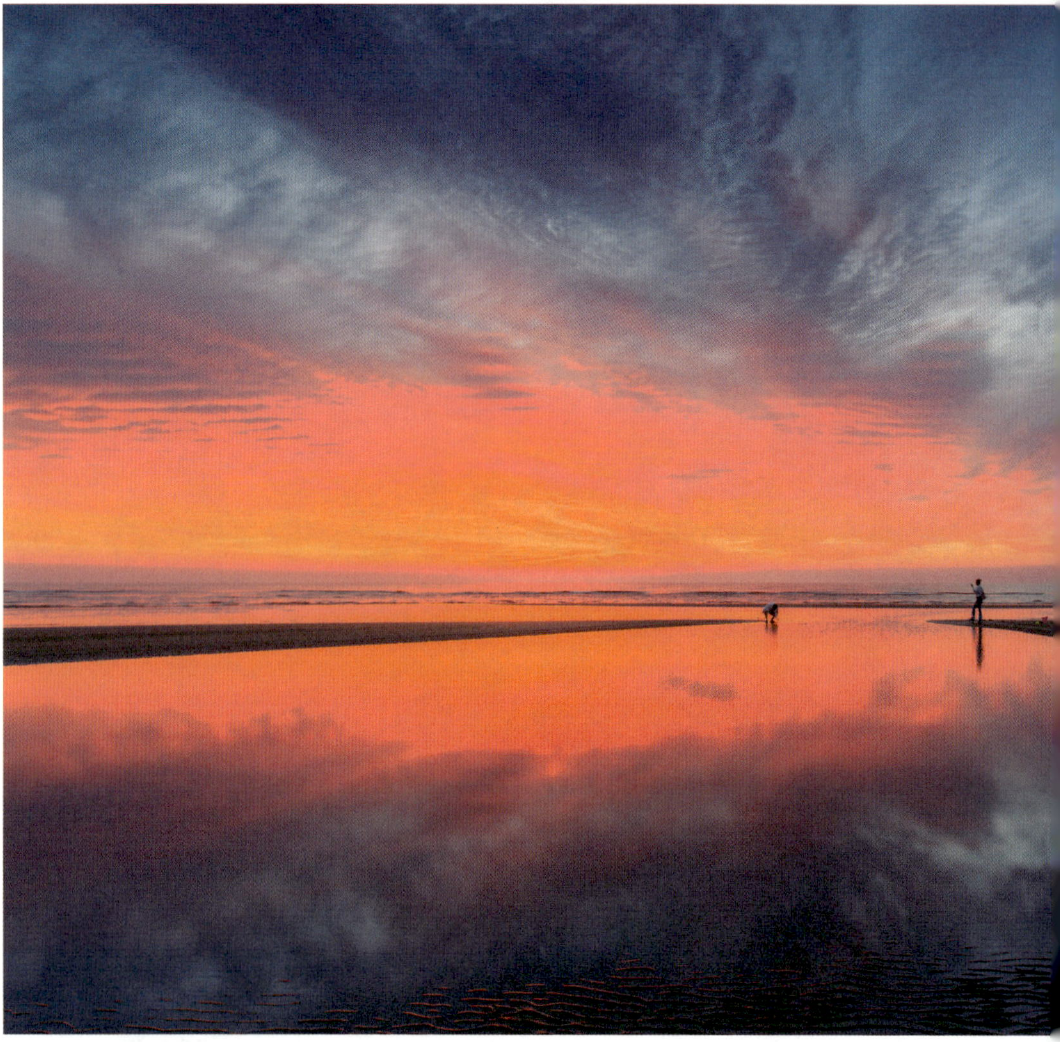

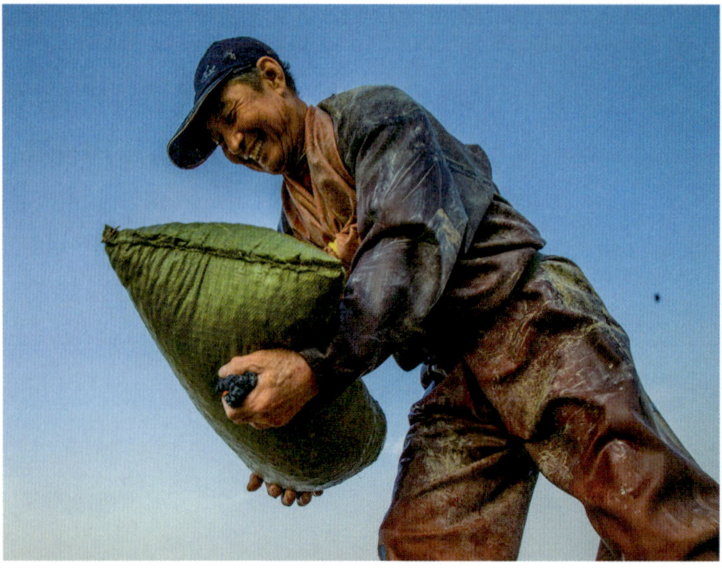

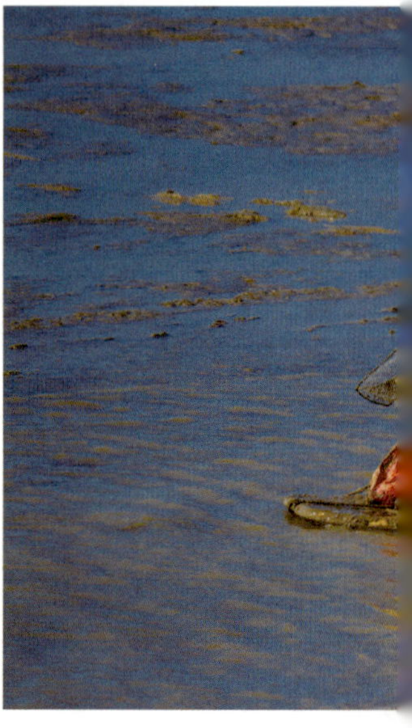

◎ 左上图　湿地霞光／王金磊　摄
◎ 左下组图　赶海／陈书铎　摄

　　这类地貌，也出现在唐山乐亭至丰南一带。这里似水似陆，视野开阔，群鸟云集，燕语莺声，生机无限。

　　滩涂，也称潮间带。潮来，被淹没；潮退，露出来，留下无数海味，如小螃蟹、白蛤、花蛤……等着有缘人来捡拾。

　　大海退潮，是海鸟云集觅食的时候。长长的海岸线足足撤退数十米乃至数百米。赶海人的脚印被淤泥一次次填平，海鸟们飞起又落下，呼朋唤友的呢喃在海风中徜徉很久。

漫长的滩涂地，数不清的小鱼、蛤蜊，成为鸟类迁徙过程中最美味的食物补给，这也是渤海沿岸成为鸟类迁徙路线的主要原因。

唐山大清河盐区，一望无际的盐田棋盘般排列，一格子一格子的海水，正在接受太阳和风的考验，阳光照在盐田上，形成一面面镜子，盐田埂上觅食的长脚鹬变成无数个。从海水到高浓度卤水，最终形成一粒粒晶莹剔透的海盐。

关于盐田，有两个画面。一座座盐山，雪山一样堆在黄骅临海的土地上，空旷的土地上树木稀少，地面上残雪一样渗出盐碱。

盐田里，原盐晶莹剔透，玛瑙一般。盐业工人麦场收麦子似的将原盐堆在一起。又由机械堆得山一样，遥遥地与西面的太行山对应着。

◎ 右页图　大清河盐场／庞晓勇　摄

渤海之滨　第一单元　021

碧海清波

2. 金风玉露

"金风玉露一相逢，便胜却人间无数。"这正是渤海与黄金海岸的写照。蔚蓝的大海遇到金黄的海滩，陶醉了，海浪变得浪漫而有情调。海水仿佛接到某种指令，轻轻地漾着，平静得似一块微风吹皱的带有光泽的绸布。遮阳伞立在沙滩上，如一朵朵巨大的蘑菇，游人坐在伞下看海。孩子们追逐着浪花，海风追逐着他们的衣裙和头发。海鸥鸣叫着时近时远，远处是背景般浓绿的树林。

◎ 昌黎黄金海岸／尹平 摄

碧海清波

◎ 左图　海上大漠光影/佟伟元　摄

　　这就是鼎鼎大名的河北昌黎黄金海岸。

　　起起伏伏的黄沙与郁郁葱葱的树林共存，组成难得一见的沙漠绿洲景象。碧海蓝天间，海鸥翱翔。坐在细腻的沙滩上，面朝大海，看潮来潮去，时间的钟仿佛停摆。人生如此，夫复何求？

　　大海、沙丘、绿洲三景，是极为罕见的同一地域出现的自然资源，令黄金海岸享誉海外，游人如织。

　　黄金海岸属于砂质岸线。同类优美的砂质岸线，出现在秦皇岛、抚宁、戴河口，以及唐山乐亭大清河口附近。

　　砂质海岸以滦河口为界，北段一座座沙丘，沙漠瀚海般。沙子金灿灿的，细腻又柔软，海水微漾，波纹连着波纹，游鱼清晰可见。海水浴场里，身着五颜六色泳衣的人们在波浪起伏里弄潮；有的人骑着沙滩摩托呜呜飞驰；还有人在滑沙、冲海浪、滚太空球、飞娱乐伞、捕鱼、玩沙滩排球、踢足球。一艘废弃的木船安静地泊在沙滩上，成为人们游玩拍照的背景。

滦河口南段与北段迥异，南段受泥沙与海洋动力影响，近海发育有离岸沙坝、块状的潟湖和沙坝复式海岸。受离岸沙坝庇护，岸线稳定，距深水区较近，可为港口，宜港宜旅。远远望去，蓝天碧海为远景，绿树与红色、白色楼房为近景，都是游人眼里的美丽风光。

砂质海岸主要成分是砂和砾石，这是滦河的功劳。从一定程度上说，滦河成全了黄金海岸。

滦河与风是黄金海岸的缔造者，强悍的东北风与清凉的东南风打太极一样吹动沙子，经年累月，形成了巨龙般的沙堤。若干年后变为一座座具有沙漠情调的大沙丘，成为渤海湾里独特的风景。

七里海潟湖是渤海湾的一颗明珠。

所谓潟湖，原意为被沙嘴、沙坝或珊瑚分割，而与外海相分离的局部海水水域。简而言之，就是在滨海地

◎ 右页上图　乘风破浪／薛晓丽　摄
◎ 右页下图　七里海渔港／薛晓丽　摄

渤海之滨　第一单元　027

◎ 上图　七里海 / 张广人　摄
◎ 右页上图　翡翠岛 / 张伏麟　摄
◎ 右页下图　海滨沙漠 / 视觉中国　供图

带，与海洋不完全隔绝或周期性隔绝的水域。

七里海，名曰"海"，却不是海，而是位于北戴河新区南部沙丘带内侧的现代潟湖。

在远古，渤海西北岸都沉在海水中。五千多年前，这里雨水充沛，河流沉积速率加大，一度超过了海平面的上升速率，导致泥砂淤积，地面逐渐升高，形成陆地。低洼处尚存的海水随着入海水道逐渐淤浅、缩小，与海洋的联系逐渐被减弱或隔绝,即为潟湖环境。隔绝七里海与渤海通道的是沙丘。

故而,七里海有时为淡水湖,有时是咸水湖。

翡翠岛,是独特的海洋大漠风光。

"翡,赤羽雀也;翠,青羽雀也。"黄为翡,绿为翠。翡翠岛,恰似一块翡翠被金色沙滩围绕。

翡翠岛,当地人称大峪,位于昌黎县黄金海岸南

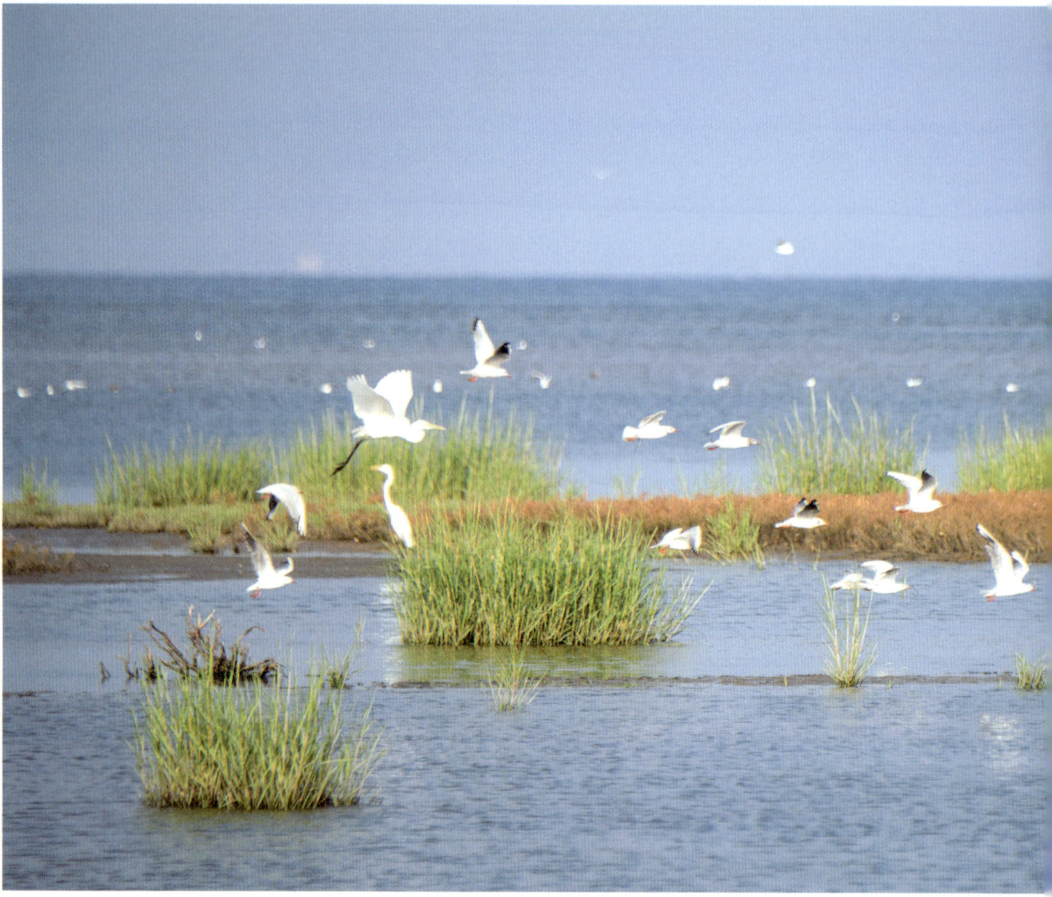

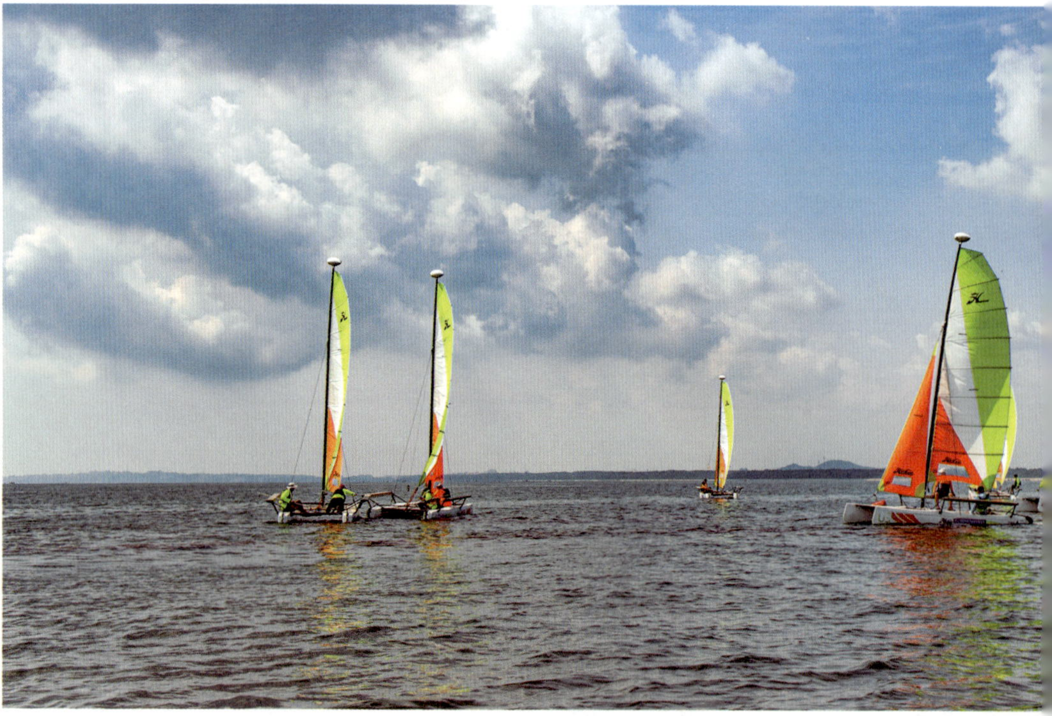

渤海之滨 第一单元 031

◎ 左上图　鸟儿的家园／田琪　摄
◎ 左下图　启航／崔重辉　摄

部，被渤海和七里海拥抱着。金色细沙为翡，绿色植被为翠，说不清谁主谁辅，或者鸟才是这个半岛的主人。绿茵深处，栖息着数不清的鸟，这里是鸟的王国。

岛上沙峰林立，连绵起伏，如若牵着骆驼在夕阳中行走，会让人的思维陡然飞跃到大漠西域。沙峰的高度，也令人咂舌，达四十多米。

宽广静谧的大海，雄伟壮观的沙丘，共同构建了一个小世界。茵茵绿草，百花吐艳，群鸟汇集，有常见的燕子、麻雀，也有罕见的世界珍禽黑嘴鸥等，仅栖息其中的国家重点保护鸟类就有六十多种，真可谓鸟的王国。

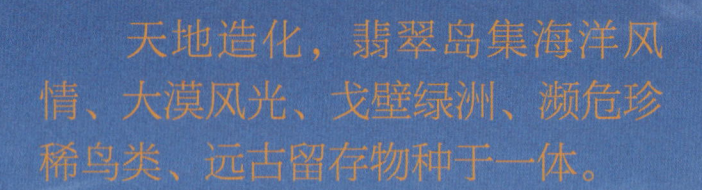

天地造化，翡翠岛集海洋风情、大漠风光、戈壁绿洲、濒危珍稀鸟类、远古留存物种于一体。

被自然眷顾的生态美，势必会以神秘天然悦人。

人们热衷于在翡翠岛滑沙，享受从沙丘之巅俯冲入海的刺激；乘滑翔伞，神仙般遨游在碧波、沙海；乘冲锋舟在海面冲浪；乘船出海，撒网捕鱼，亲手烹饪，体验传统时代渔民自给自足的悠然生活。

◎ 翡翠岛 / 秦皇岛市文联　供图

渤海之滨 第一单元

3. 天"生"港

远远的，在东方海平面上，初升的太阳带着万丈光芒喷薄而出。霎时，天海相接处，华彩熠熠。天空铺展成一匹无际的锦缎，海洋澎湃成一曲华丽浑厚的交响乐。

站在金色海岸遥望港口，高高的吊车在霞光之下，金灿灿的，棱角分明，硬朗十足。

在河北省海岸线，从南至北，分别排布着黄骅港、唐山港（包含京唐港区和曹妃甸港区）、秦皇岛港，如同颗颗明珠闪烁光华。

黄骅港是建设"一带一路"重要枢纽、雄安新区最便捷出海口；唐山港是服务重大国家战略的能源原材料主枢纽港；秦皇岛港是全国北煤南运枢纽港，转型发展为国际知名旅游港和现代综合贸易港。

渤海港口群的崛起，极大拉动了沿海经济发展。

夜幕降临，港区内亮如白昼，船舶进港出港穿梭不

◎ 右页上图　唐山港京唐港区／闫军　摄
◎ 右页下图　唐山港曹妃甸港区／安玉娟　摄

渤海之滨

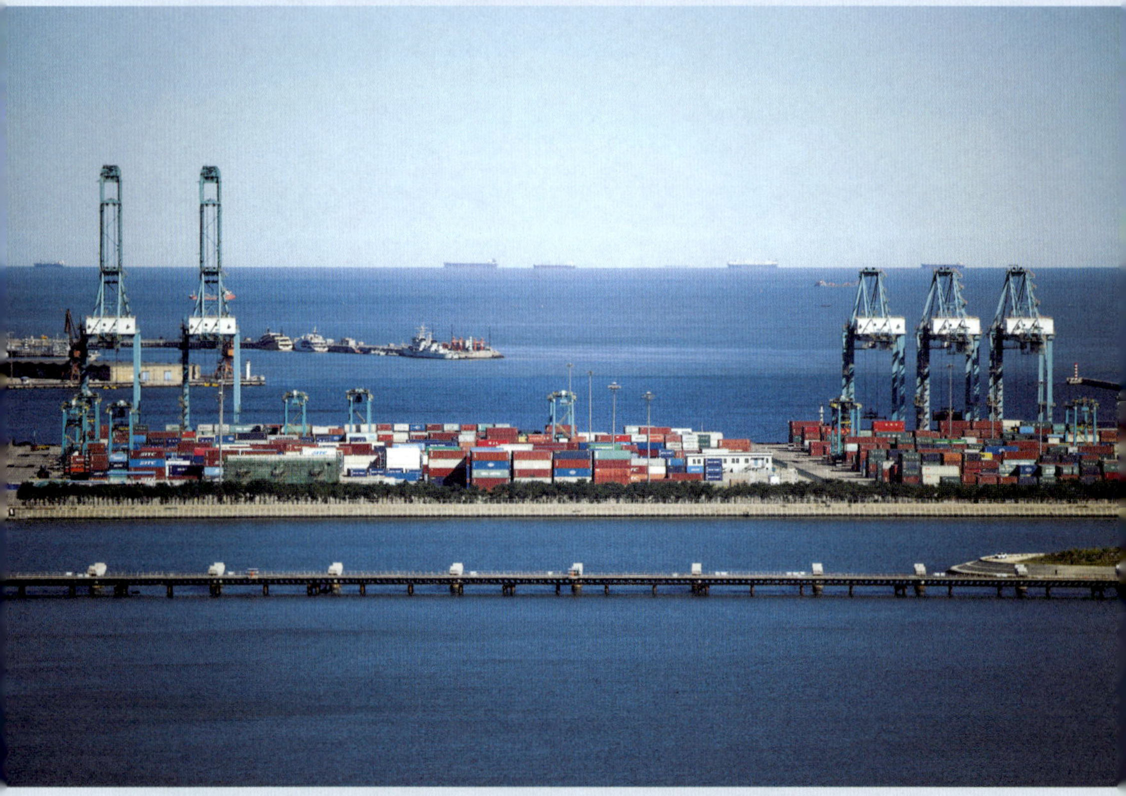

停。像巨人般的桥吊和龙门吊，在轮船上吊装和搬运货料。

黎明时分，蓝黑色的海水闪动着金色粼光，橘红色成了空间的主色调。此刻，色彩斑斓的港口如油画般明丽。

有港城之誉的秦皇岛，作为港口由来已久。

俗话说，靠山吃山，靠海吃海。生活在渤海之滨的先民，必然有着自己的生活半径及生存法则，木船渔网，鲜鱼海市，甚至过海交易，换得衣食。起初，他们就是利用基岩海岸线的天然优势，船只往来，进行贸易。

秦皇岛古称碣石海港。渤海北岸有碣石，被誉为燕国"通海门户"。

这里曾有过三座港口，春秋时期燕昭王修建的碣石港，隋炀帝时古城永平府（现卢龙县）的平州港，明初大将徐达修建的码头庄港，均在农耕时代发挥过一定作用。

◎ 左页图　秦皇岛港／郝坤　摄

碧海清波

燕山逶迤至山海关，才收住脚步，在渤海边形成了一连串的岬角，太古代的混合岩质岬角。先民们利用这些岬角型天然港湾，出海渔猎，卖多余的水产，或者以货易货，或者用鱼虾换钱，逐渐形成规模。山海关历来是"一夫当关，万夫莫开"的军事要地，而其港口更是南粮北调、北货南运的重要渠道，军事运输也是其特征。

从戴河口至止锚湾有着绵长的海岸线，山体岬角星罗棋布，海岸被分割成长长短短的岸段。岬角有抵御砂粒的作用，符合一物降一物的自然法则。所谓基岩，即被海浪冲击形成的海蚀平台等。众多因素，让这里成了天赐良港。而岩石海岸坡度较陡，具有十五米等深线的水域是万吨以上级泊位的佳地。

◎ 秦皇岛港口观日落／凌福平　摄

碧海清波

© 龙头入海 / 张丽 摄

秦皇岛港港池和航道年淤积厚度可忽略，航道和锚地平坦，没有礁石暗礁，非常利于船舶航行，且秦皇岛岬角和金山嘴岬角岸线间风浪很小，海域内水深，不冻不淤，风景优美。

清同治前，秦皇岛沿海区域"只有帆船停泊，栈房三两，代卸货粮盐而已，并无住户"。

清光绪二十四年（1898年），秦皇岛港开埠，成为通商贸易口岸。如今的秦皇岛港已是世界级海港口岸。

2022年10月30日，河北港口集团成立大会暨揭牌仪式在石家庄举行。新组建的河北港口集团是河北省属国有重要骨干企业，承担全省港口投资运营主体职能，货物吞吐量超七亿吨，位居全国港口集团第三位。

◎ 右图　秦皇岛港／郝坤　摄

渤海之滨　第一单元

扫码听书

扫码看视频

第二单元

伴海而生

壹 >> 丰富海产

1. 鲜味之源

在我国的海洋家族中，渤海比较独特，属于内海，与无边界的大海大洋比，是半封闭的。

故而它的水质肥沃，营养盐含量高，所产虾、蟹、鱼类口味鲜美醇正，故而被称为河北渔业的摇篮。

渤海特产，让当地人说起来，也要掰着手指头数几回，大（中国）对虾、（三疣）梭子蟹、半滑舌鳎、河鲀（红鳍东方鲀）、牙鲆、梭鱼、海蜇、青蛤、毛蚶、文蛤、杂色蛤、蛏子等数不胜数。盒装中国对虾出口国外，黄骅三疣梭子蟹获全国地理标志，唐山河鲀名扬海外，毛蚶也是海鲜市场主打品种。

◎ 右页上组图　海鲜组图／视觉中国　供图
◎ 右页下图　出海捕鱼／视觉中国　供图

伴海而生

第二单元

047

在河北近千里的沿海滩涂和潮间带上，秦皇岛的海湾扇贝养殖，唐山的红鳍东方鲀（河鲀）养殖，均在全国名列前茅，沧州海兴的卤虫交易通往国际市场……

摇曳的芦苇，春去秋来的候鸟，长在盐碱地的碱蓬，盐池里的卤虫，和谐共生，构成了我们物产丰饶、多姿多彩的渤海。

◎ 上图　海上牧场／薛晓丽　摄

2. 皮皮虾

　　《尔雅·释诂》中这样解释道："鲜，罕也。"

　　几乎所有的海产贝类、虾蟹类，都被冠名海鲜，这个"鲜"的含义远远高出《尔雅·释诂》的本义，与许慎的"鲜，鲜鱼也"契合。在渤海湾的沧州黄骅，每年清明节前后，皮皮虾上市，喜欢它的人抢着来尝第一

050

碧海清波

口。也有人叫皮皮虾"虾耙子""虾蛄",而似乎"琵琶虾"之名更符合皮皮虾的形象。清明时节的皮皮虾肉质饱满,味道鲜美,雌虾个个带黄,尤为肥美。

人们都说,最好吃的皮皮虾在渤海湾。

皮皮虾性情凶猛,熟了摆在盘中,也有"杀伤力",一不小心就会被其利甲划伤。皮皮虾的视觉系统非常强大,善游泳,嗜肉,它的食谱里有贝类、海胆,也攻击螃蟹等。皮皮虾披着铠甲,几乎所向披靡。

食肉的皮皮虾,吃起来口感很不错。它的生活环境也是其味美的因素之一。

从唐山乐亭县的大清河口向西,包括天津、黄骅、海兴的渤海湾,都属于粉砂淤泥质岸线,其特征是海底平坦,营养盐丰富,是浮游生物的福地,所以渤海又被称为饵料场是实至名归。

据说皮皮虾是河北省产量最多的海洋生物,年产近两万吨。

◎ 左页组图 皮皮虾/视觉中国 供图

碧海清波

◎ 虾池农场鸟瞰图／视觉中国　供图

054

碧海清波

◎ 左页图　盐沼/视觉中国　供图

渤海开渔了，皮皮虾、渤海对虾纷纷上市。海鲜市场上，贴着"渤海湾"字样的水箱被抢购一空。人们看着饭桌上冒着香气的皮皮虾和渤海对虾，是没有抵抗力的。吃着喝着，乘船观海的感觉就来了。

渤海湾海鲜味道美、口感好，除了饵料好之外，也与渤海湾的养殖大环境、气候相关。与其他海域相比，盐度高是渤海海产品的优势之一。

海水盐度越高，水产动物肌肉中的水分越低，粗蛋白和总糖越高。

这就如同腌制的腊肉，滋味好过鲜猪肉。几片腊肉配藜蒿，就是春天的味道。

盐度，也是食物增鲜的一个秘籍。咸鱼咸肉，甚至咸菜，这些食物经过盐和时间的淬炼，中了魔法一样发生蜕变，散发着不同于鲜品的好滋味。

在酸甜苦辣咸五味里，代表盐的咸排在末位，但如果只能留下一种调味品，我想大多数人都会留下盐。盐是生命必需品，参与着机体的新陈代谢。

渤海海鲜之"鲜",恰恰来自渤海湾富含海盐的海水之味。

3. 扇贝

逢年过节,沿海大多数人家的吃食会以海鲜为主,梭子蟹、大对虾、扇贝、八爪鱼,堆满盘子,摆满桌子。扇贝尤为诱人,贝肉上绕着几根粉丝,顶上是雪白的蒜米和鲜红的小米辣,无论视觉还是味觉,都令人满意。

这些海鲜,都来自渤海的海域养殖基地。据说全国

◎ 下图　扇贝美食／视觉中国　供图
◎ 右页图　海鲜火锅拼盘／视觉中国　供图

餐桌上的海湾扇贝，七成来自河北抚宁、乐亭、昌黎三地，这些地方的扇贝几乎走进了所有爱吃海鲜的人家。

海湾扇贝喜欢清水，秦皇岛和唐山的基岩海岸、砂质海岸是它们的家。

近海河口的水域里，到处都是被方形或者圆形切割的水面，绵延出数十里，这就是海鲜们的新家。通往渤海的内陆河一路奔腾，从陆地带入海中大量营养盐，这是浮游植物的美餐。而渤海半封闭，海水循环相对慢，

碧海清波

故而近岸水域，海水较"肥"。浮游植物正是扇贝生长的天然饵料。

扇贝对于养育它的海洋也大有益处。

植物的光合作用，尽人皆知。植树造林改善环境，是近些年人们所践行的，并卓有成效，沙尘暴几乎在平原绝迹。森林植物减少空气中二氧化碳浓度的过程，被称为森林碳汇。海洋同样需要碳汇功能。

据中国工程院的研究表明，在我国，参与海水养殖的大型海藻和贝类每年能从海水中移出碳一百二十多万吨，这相当于种下五十万公顷郁郁葱葱的森林。这样的置换，既满足了人们的口腹之欲，又回馈给海洋无限生机，真是皆大欢喜。

扇贝像清道夫一样，改善着养殖环境。扇贝养殖，包括其他海产品养殖，已自成规模。阳光炽烈的时候，登上养殖基地的船去看看，水波一荡一荡的，海的宝贝们都静静地安睡着，像睡在摇篮里。

渤海里的"土著"，比人类的历史还要长久，如蛤蜊、蛏子、海蛎子、花蛤、文蛤、海虹，海湾扇贝已与它们成为一家人。它们都姓海，名贝。

◎ 左页图　扇贝／视觉中国　供图

韭菜炒扇贝、凉拌扇贝、烤扇贝、干贝蒸鱼丸、干贝烧丝瓜……总之，鲜美的扇贝让人百吃不厌，越吃越爱。也有一些人为了吃，爱上这片海——这片叫渤海的海。

4. 河鲀

北宋诗人梅尧臣的"春洲生荻芽，春岸飞杨花。河豚当是时，贵不数鱼虾"，河豚即河鲀，看来人们吃河鲀由来已久。

在长江沿岸，蒌蒿绿满地的时候，河鲀正肥美。河鲀以江阴段的最肥美。过去，北方人吃过河鲀的不多。东坡先生的红烧肉流传千载，河鲀也因他的"竹外桃花三两枝，春江水暖鸭先知。蒌蒿满地芦芽短，正是河豚欲上时"，诱惑着北方人。

◎ 右上组图　河鲀／视觉中国　供图
◎ 右下图　河鲀套餐／视觉中国　供图

伴海而生 第二单元 061

碧海清波 062

河鲀生活在沿海、河口一带，名字各有不同，江浙称河鲀，山东称艇巴，河北称腊头，广东称乖鱼，广西称龟鱼。

河鲀感到危险时，身体会变成球形，在水里飘飘摇摇，甚是可爱。

如今，在北方，吃河鲀已不稀罕。

全国河鲀共有四十多个种类，其中红鳍东方鲀因肉质细嫩鲜美，被誉为河鲀中的"劳斯莱斯"，也被誉为"鱼类之王"。

目前，全国有资质养殖红鳍东方鲀的仅五家，其中一家就在唐山。

在唐山曹妃甸区的河鲀小镇，三三两两的游人在水边垂钓，尝到了亲手捕捞的最新鲜的唐山河鲀滋味。

进入大众视野的唐山河鲀，就是红鳍东方鲀。

唐山河鲀养殖区域很美，碧海连天，碧波微漾，养育的河鲀个头很大，红烧、油炸、凉拌、做刺身都属极

◎ 左页上图　红鳍东方鲀／滦南县文联　供图
◎ 左页下图　河鲀刺身／视觉中国　供图

品。选肥硕河鲀切片，一圈圈摆放在淡青素瓷盘中，中间装饰一绺金针菇、几粒香葱、一两片嫩紫苏、一片柠檬，符合审美又美味的河鲀刺身就成了。

河鲀确实有毒，但处理好的河鲀却是人间至味。河鲀也是一味良药，性温，味甘，补虚，去湿气。

河鲀，已进入寻常百姓的菜谱。

5. 梭子蟹

一盆红艳艳的大螃蟹上桌，顷刻被食客一抢而空。

鲜甜的蟹黄，粘得满手都是。有美食家边吃边说："快吃快吃，这是正宗的黄骅三疣梭子蟹。"

三疣梭子蟹并不是黄骅独有，也不罕见，珍贵的是

◎ 下图　海鲜面／视觉中国　供图
◎ 右页图　蒸螃蟹／视觉中国　供图

黄骅当地的梭子蟹十分肥美且味道醇正。2017年，黄骅南排河镇的二十多个渔业村利用滩涂养殖的三疣梭子蟹，被授予"黄骅梭子蟹"农产品地理标志。

黄骅拥有全省唯一一家国家级三疣梭子蟹原种场。

黄骅三疣梭子蟹颇具阳刚之气，背着淡青色盔甲，肚子白色，螯粗大孔武，装到锅里还张牙舞爪，不停地吐泡泡抗议。黄骅三疣梭子蟹，单体将近一斤重，蟹肉洁白、细嫩、鲜美无比，富含蛋白质、微量元素硒、多种氨基酸等，营养及味道都是上乘。

金秋十月，渔码头热闹非凡，一个漫长的休渔期结束，一旦开渔简直是打开了味觉的盛宴。出海的船回来了，舱里的螃蟹多得很，大船满当当，小船沉甸甸。

梭子蟹当仁不让，成为人们尝鲜的首选。红黄相间的蟹盖，盖不住流溢的鲜味，凝脂似的蟹膏、细白瓷实的蟹肉，咬一口满嘴留香，慢慢咀嚼，回味淡甜。揭开母蟹的盖子，结块的蟹黄流着油，尝一口，便觉得渤海湾真没白来一遭。吃完的蟹壳与腿拼起来，还是一个威武的梭子蟹，一件超级棒的艺术品。

6. 毛蚶

秋风乍起，沧州的梭子蟹上市时，唐山的毛蚶也到了收获季。

整筐整筐的毛蚶被渔船运到岸上，在水箱里吐着舌头冒泡泡。

毛蚶是蛤类里的将军，大个的足有小孩儿拳头大，外壳像倒扣的瓦，鼓起的小扇子似的，靠近边缘的位置

◎ 右页图　渤海湾赶海／陈书铎　摄

第二单元　伴海而生
067

碧海清波 068

颜色较深，清洗干净也很漂亮。毛蚶煮熟取肉，杏黄色的肉与碧绿的菠菜凉拌，视觉上也是享受，且味道上乘。

南甜北咸，东辣西酸，毛蚶在各地有各地的吃法。

在秦皇岛、唐山一带，一般凉水下锅，加入葱姜盐同煮，毛蚶开口即关火上桌，汪着一包水，鲜嫩无比。毛蚶的吃法还有很多，可煮汤下面条，放点儿辣椒油；可与辣酱爆炒；也可清蒸，更原汁原味。

热腾腾的毛蚶炖白菜，更让人垂涎欲滴。几十块钱一桶的毛蚶，两块钱一棵的大白菜，最普通的炖法，便胜却人间无数美味。聪明的渔家老板娘受到启发，用毛蚶配白菜、韭菜蒸包子。笼屉里的包子刚刚冒出热气，香味早飘了满大街。

20世纪七八十年代，丰南黑沿子镇有一条贝壳路，主要是毛蚶壳。那时的渔船以捕捞毛蚶为业，每到旺季，毛蚶堆积成山，毛蚶山连着毛蚶山，蔚为壮观。

◎ 左页上图　凉拌毛蚶／视觉中国　供图
◎ 左页下图　菠菜拌毛蚶／视觉中国　供图

毛蚶肉销往外地，碎壳可喂鸡猪，多余的壳则用来铺路。在家家户户门前通往庄稼地的路上，铺满贝壳，带着光泽的贝壳路，通向美好的四面八方。

沿海并不只是虾蟹美味，还有其他美食可待品尝。

人们除了领略山海关的风采以及大海的风光外，还要吃荤锅解解馋。老榆木的桌子泛着油光，窗外是漫长的海岸线。景泰蓝的大火锅端上来，揭秘一样掀开锅盖，便看见了猪肉丸子、排骨、海带、五花肉、粉丝、鸡肉、焖子、冻豆腐、花盖螃蟹、八爪鱼、大虾（海产品均为本地产）。荤锅少不了鸡汤、蟹肉和酸菜，是本地特色与天南海北食材的大荟萃，也是秦皇岛的一个写照。

沧州黄骅海边一家不起眼的饭店，竟座无虚席，海鲜的味道满屋都是。老板娘动作麻利，工夫不大，梭子蟹上桌，各个顶盖肥；皮皮虾满子满黄，母虾肚皮和脖颈儿之间隐隐有个"王"字，吃皮皮虾的行家专门挑母虾解馋；八爪鱼炖红烧肉，香味浓烈；清蒸牡蛎、酱小杂鱼，各有妙味。

◎ 右页图　火锅/视觉中国　供图

伴海而生

第二单元

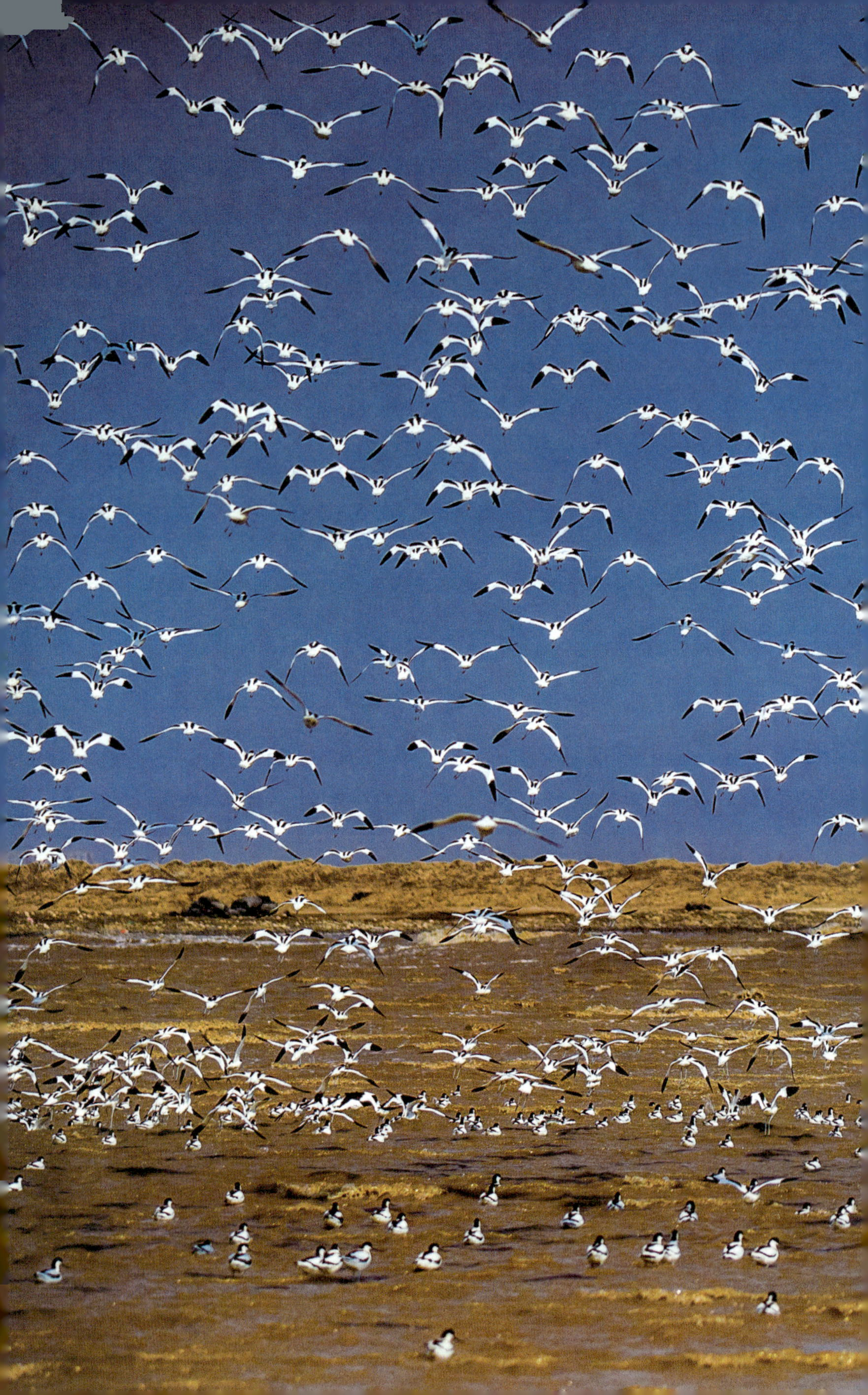

贰 >> 鸟的天堂

每年在渤海湾这条迁徙通道驻足的候鸟以百万计。渤海之滨绵长的迁徙通道，属于国际上的鸟类迁徙第五通道，东亚的鸟到澳大利亚过冬，会把这里当作驿站。

蓝色的天际如同巨幅绸布，众鸟曼舞，如群星闪烁，"咕咕""咯咯""嗷嗷""嗷……嗷"，如鞭炮炸裂。

众鸟拍打翅膀的声音，如飞机划过天际的声音。纷纷鸟影在水面掠过，惊了水中的游鱼，鱼的尾巴制造出鱼鳞状波浪以外的浪花。空中的鸟，受了诱惑，以箭镞的速度冲向水中鱼，一击即中，鱼在鸟喙挣扎，鸟带着鱼冲出人

◎ 左页图 渤海湾候鸟迁徙／陈书铎 摄

◎ 右图　北戴河鸽子窝公园／邸琳　摄

们的视线。更多的鸟冲向水面，又盘旋着飞上天空。群鸟在空中飞翔着、鸣叫着，悦耳的声音犹如天籁。树上的白鹭听到召唤，纷纷振翅加入飞翔纵队。壮观的鸟群惊呆了鸽子窝公园的游人。

群鸟聚集，密密麻麻，遮天蔽日，像镜头里的蒙太奇。太壮观了！

鸟类专家说，最壮观的场面在大清河流域。也有人说，曹妃甸鸟最多。都是什么鸟？留鸟和候鸟。游禽和涉禽以百万计。

鸽子窝公园、大清河流域、曹妃甸湿地、南大港湿地，在渤海沿岸河北段，到处都是鸟的大本营。爱鸟者和摄影爱好者，早将各种鸟的姿态纳入镜头中。

第二单元 伴海而生

碧海清波

© 白鹤／赵超 摄

078

碧海清波

在渤海之滨的南大港，蓬勃的芦苇接天蔽日，构成碧绿的海洋。雕栏的游船徜徉其中，绿头鸭、翘鼻麻鸭、赤麻鸭在游弋，一对对白天鹅在翔舞。成双成对的天鹅，划着碧波，优雅的姿态让人联想到芭蕾舞剧《天鹅湖》。如海的芦苇地里，美若仙子的丹顶鹤在芦苇梢上空徐徐地飞着，有急促的俯冲，也有漂亮的回旋；更多水禽隐在芦苇丛中"生儿育女"；苇塘里初生的小鸟奶黄奶黄的，啾啾欢叫着，伸长脖子接过鸟爸爸鸟妈妈给它们的食物。这是最温馨的画卷。

渤海湾成为鸟类迁徙的通道，如海的芦苇功不可没。芦苇还叫蒹葭，"蒹葭苍苍白露为霜"，这里的美景与诗里的画面一样隽永。

芦花飞的时候，千顷芦苇颇有燕赵英雄的气概。短时间内，群体性变为苍黄色，个顶个顶着一束蓬松的花穗，北风吹来，千千万万棵芦苇在风中摇摆，万万千千只鸟在蓝天和苍黄的芦苇间翱翔，天地大美！

◎ 左页图　南大港湿地 / 陈秀峰　摄

芦苇为多年生根茎大型禾草，生命力极强，只要有水，就能成片成活。河北沿海地区是芦苇的家园，三种群落类型分布在沧州南大港水库、唐海南部、唐山菩提岛北部等，分为常年积水型芦苇群落、季节性积水型芦苇群落和旱"洼"型芦苇群落。芦苇群落孕育着无数的生灵。

芦苇与碱蓬、柽柳等盐生植物的家园，必然会成为鸟类在沿渤海地区繁衍生息的基地。

在秋季的渤海湾滨海地带，有一种美景令人震撼：茂盛的盐地碱蓬变成鲜艳夺目的紫红色，在蓝天映衬下，远远望去，变成了一片火炬的海洋。

鸟类迁徙离不开水。数千年甚至数万年，一只只候鸟扑扇着翅膀穿越高山峻岭，甚至飞越大洋到南半球的澳大利亚和新西兰越冬。有的候鸟，比如东方白鹳，在渤海湾待上半个月；有的鸟眼看着伙伴飞往南方，却留下来成为留鸟。渤海湾附近，鱼虾蟹甚至蛇和青蛙都成为鸟的美

◎ 右页图　芦苇群落是鸟的天堂 / 孟东红　摄

伴海而生　第二单元　081

食。渤海湾之所以成为鸟的迁徙通道，地貌肯定是原因之一，其海陆交界处有丰沛的水源和食物补给，众鸟才会把这里当作安乐窝。

七九河开，河不开；八九雁来，雁准来。春回河北，候鸟归来。

河北海域沿岸的旅鸟数不胜数。

红腹滨鹬属于长距离迁徙鸟，每年春天会拖儿带女从新西兰和澳大利亚飞到中国唐山。这期间，它们穿洋越

◎ 上图　曹妃甸湿地／郑文忠　摄

　　海，体力消耗严重，飞至曹妃甸附近的浅滩，会停下休养。一个月时间，消瘦的红腹滨鹬又羽毛鲜亮、轮廓圆润了，为直飞西伯利亚地区做好了能量储备。

　　大多数旅鸟和雁鸭类一样，在接近目的地时，都有一个"侦察兵"。确认没有危险后，雌鸟和小鸟才依次降落。有的旅鸟在渤海湾附近生蛋孵化后代，待秋天小鸟羽翼丰满能长途飞行时，再离开。故而渤海沿线北戴河、滦河口等湿地众鸟嬉戏，燕语莺声，成为人们观鸟的好去处。

碧海清波

仅在渤海湾一带的海鸥，就有红嘴鸥、鱼鸥、大尾鸥、银鸥等二十多种。

湿地保护得力，吸引了各种鸟类栖息。湿地、潮间带，水生植物旺盛，丛生的芦苇，河海交汇处丰富的鱼虾资源，草莽间的昆虫、水草、水藻、淡水、盐水，都为鸟生存和迁徙提供了驿站和食物来源。

鸟类是人的邻居，也属于地球生态系统的一员，保护鸟类也是保护人类自己。

生态平衡，有助于维持物种多样性，更有助于保护物种基因库。

人类的保护，水和草木的恩泽，使河北湿地充满生机。百鸟争鸣使渤海湾更加美丽。

◎ 左页图　北戴河海滩／路雷松　摄

扫码听书

扫码看视频

第三单元

沧海明珠

壹 >> 海的赐予

湛蓝大海、金色沙滩、浓浓绿荫、清凉海风，无不令人沉醉。

秦皇岛的海岸线堪称鬼斧神工，天堂般曼妙，独成景观。

山海相接，沙软潮平，人文历史厚重，海鲜鲜美，令人流连。

1. 海滨避暑

7月的北戴河街头，五彩缤纷的遮阳伞成为流动的风景。人们戴着遮阳帽、撑着遮阳伞奔往金色的海滩，享受着海洋带来的舒适和美丽。

◎ 右图　假日北戴河 / 崔重辉　摄

沧海明珠

第二单元

碧海清波

炽热的暑天，前来北戴河避暑的人不计其数。

此时的北戴河清爽无比，地处中纬度欧亚大陆东岸独特的地理位置，暖温带半湿润大陆性季风气候，让人有一种进入金秋的错觉。

抛却温度差异，清爽的海风也给人惬意无比的感觉。海流和沿岸流像天然空调一样，左右着北戴河的温度。

当然，让北戴河成为避暑胜地的，还有起决定性作用的地缘因素。

北戴河紧靠戴河，戴河古称渝水，辽、明、清时称渝河，清光绪年间改为戴家河，后简称戴河。

北戴河原是戴河北侧四季分明风景旖旎的渔村。1894年，北戴河村还只是毗邻火车站的大村落。

◎ 左页图　北戴河新区／崔重辉　摄

随着津榆铁路通车，旅居京津的外国传教士、侨商、使领馆官员等纷纷来北戴河海滨避暑，享受人间仙境般的清凉。

更有一些国外的权贵或富商在此大兴土木，修建别墅。一时北戴河脱胎换骨，蓝天绿树，红顶素墙、大回廊的欧式风格建筑比比皆是。

诗人徐志摩曾撰文《北戴河海滨的幻想》，生动描述了北戴河风情："我独坐在前廊，偎坐在一张安适的大椅内，袒着胸怀，赤着脚，一头的散发，不时有风来撩拂……廊前的马缨、紫荆、藤萝、青翠的叶与鲜红的花，都将他们的妙影映印在水汀上，幻出幽媚的情态无数；我的臂上与胸前，亦满缀了绿的斜纹。从树的间隙平望，正见海湾：海波亦似被晨曦唤醒，黄蓝相间的波光，在欣然地舞蹈。"北戴河别墅区毗邻金色沙滩，可闻渤海涛声。

◎ 右页上图　山海关古城田公馆/赵立冬　摄
◎ 右页下左图　北戴河城市夜景/视觉中国　供图
◎ 右页下右图　北戴河老别墅/张景峰　摄

第三单元 沧海明珠　093

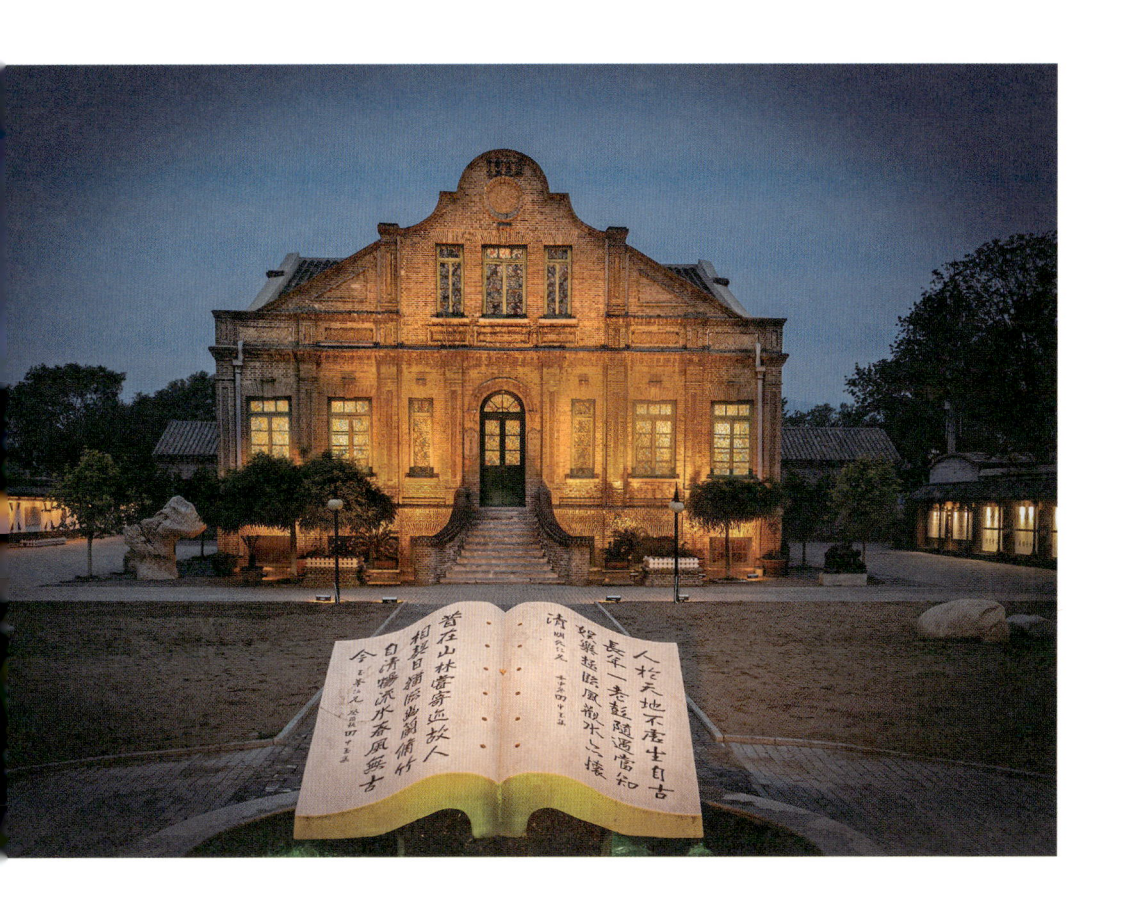

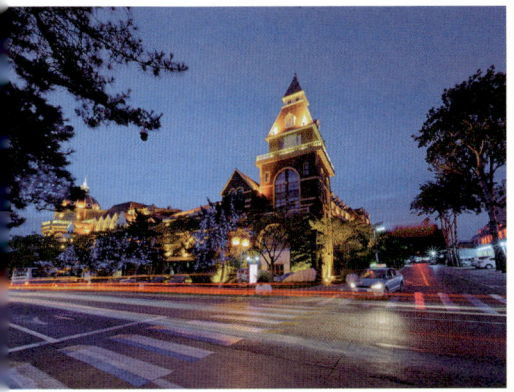

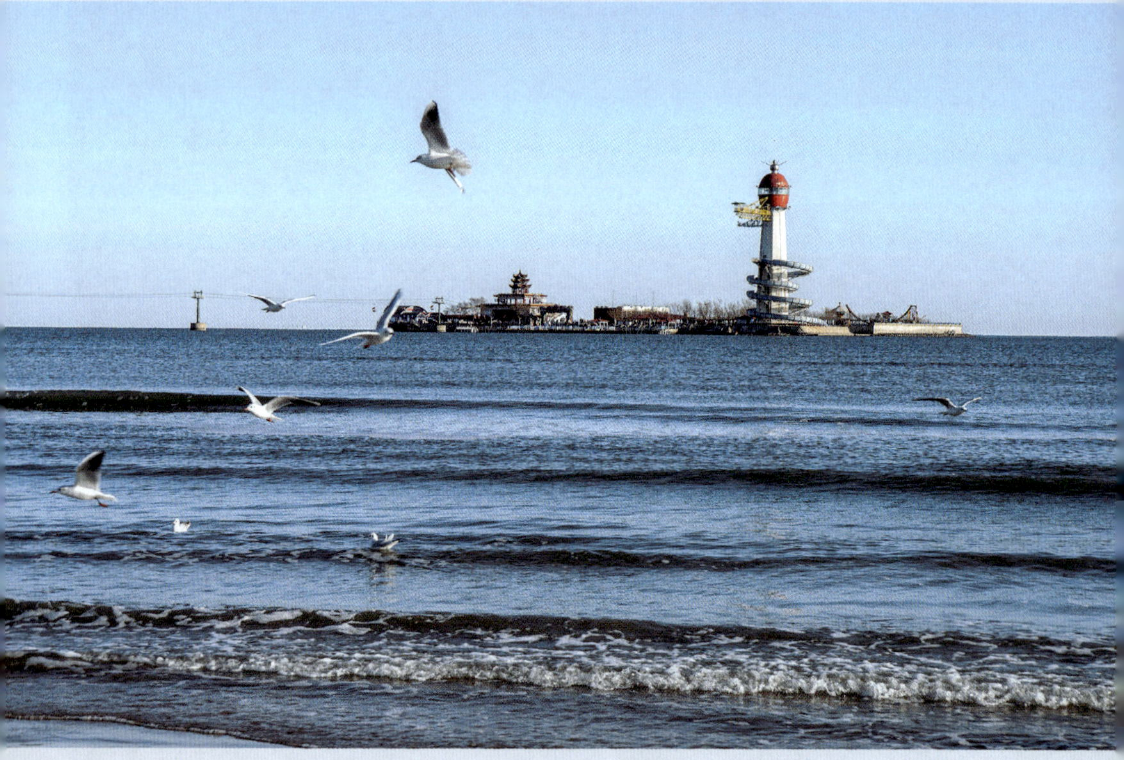

彼时，北戴河已与大洋彼岸的夏威夷齐名，有"东亚避暑地之冠"美誉，是国内著名的滨海型避暑胜地。

南戴河滨海旅游景区，以生态平衡的现代化理念为宗旨修建，集游乐与风景游于一体，依据地势发展特色项目，比如依沙山而建的滑沙、滑草场所，依水种植的百亩荷园，将苍凉的大漠风情与典雅清秀的江南韵致巧妙地融入渤海浪涛浩瀚的海洋风光中。

仙螺岛以美丽风景和神话传说闻名于世。

相传，南戴河渔民海娃捕捞到一个闪着七彩祥光的大海螺，回家后，他把海螺放入盆中，盆中海水被映得五颜六色。白天海娃去打鱼，晚上回到家，看见灶台上有香喷喷的饭菜，他发现海螺原来是个仙女。后来海螺仙子与海娃结为夫妻。海螺仙子常常为苦难的渔民治病，还冒着风雨搭救遇险的落水者。看见乡亲们在大风大浪里颠簸着讨生活着实不易，她就运用自己的神力保佑他们风调雨顺。龙王大怒，命人将海螺仙子压在海螺岛，永世不得翻身。

◎ 左页图　仙螺岛／姜明婷　摄

渔民们为纪念海螺仙子，在岛上修建了仙螺阁、三道观和七星灵石。在南戴河的沙滩，就能看到淡淡雾霭中古色古香的仙螺阁及楼顶上的红砖塔。与仙螺阁相媲美的，是海喷泉，它会偶现彩虹，甚为壮观。

仙螺岛确是福地。海风吹拂，冬暖夏凉，海的气息环绕，有得天独厚的地理环境、丰富的海产、茂盛的植物资源。游人还可以乘跨海索道到海螺岛享受海洋盛宴，欣赏海岛优美独特的景观。

在南戴河，如果有机缘看到"晨云霞""红日浴海""日出洒金"三景，秦皇岛之旅便无遗憾。

南戴河沙滩静谧的黎明，只有不知疲劳的海涛哗哗地涌来涌去。天边灰色的浓云，渐渐展开，云与云之间，出现光的射线，有的云由厚变薄，由灰变黄，进而由黄变橙，更多的地方灰红交错，这是日出的前奏。时间嘀嗒嘀嗒，等待总觉得漫长，就那么一眨眼，一轮红日从海里跳出来。一瞬间，万束霞光齐射，铺满海面，天海一色，眼前的大海似乎在用力抖动着一幅阔大的绸面，金灿灿的粼光绚丽震撼，浓墨重彩，气势磅礴，油画般璀璨。

◎ 右页图　仙螺岛日落／魏伟　摄

第三单元 沧海明珠

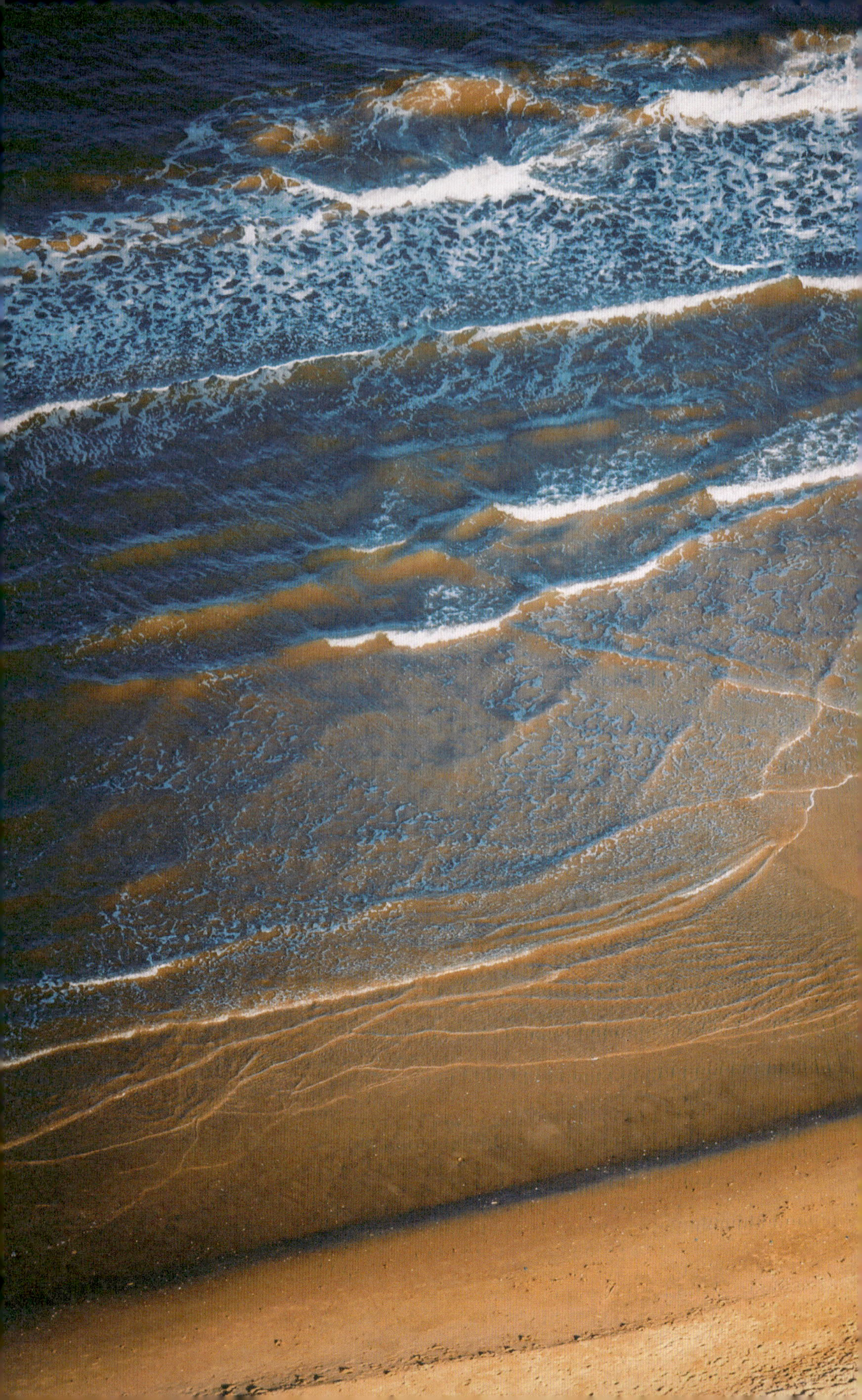

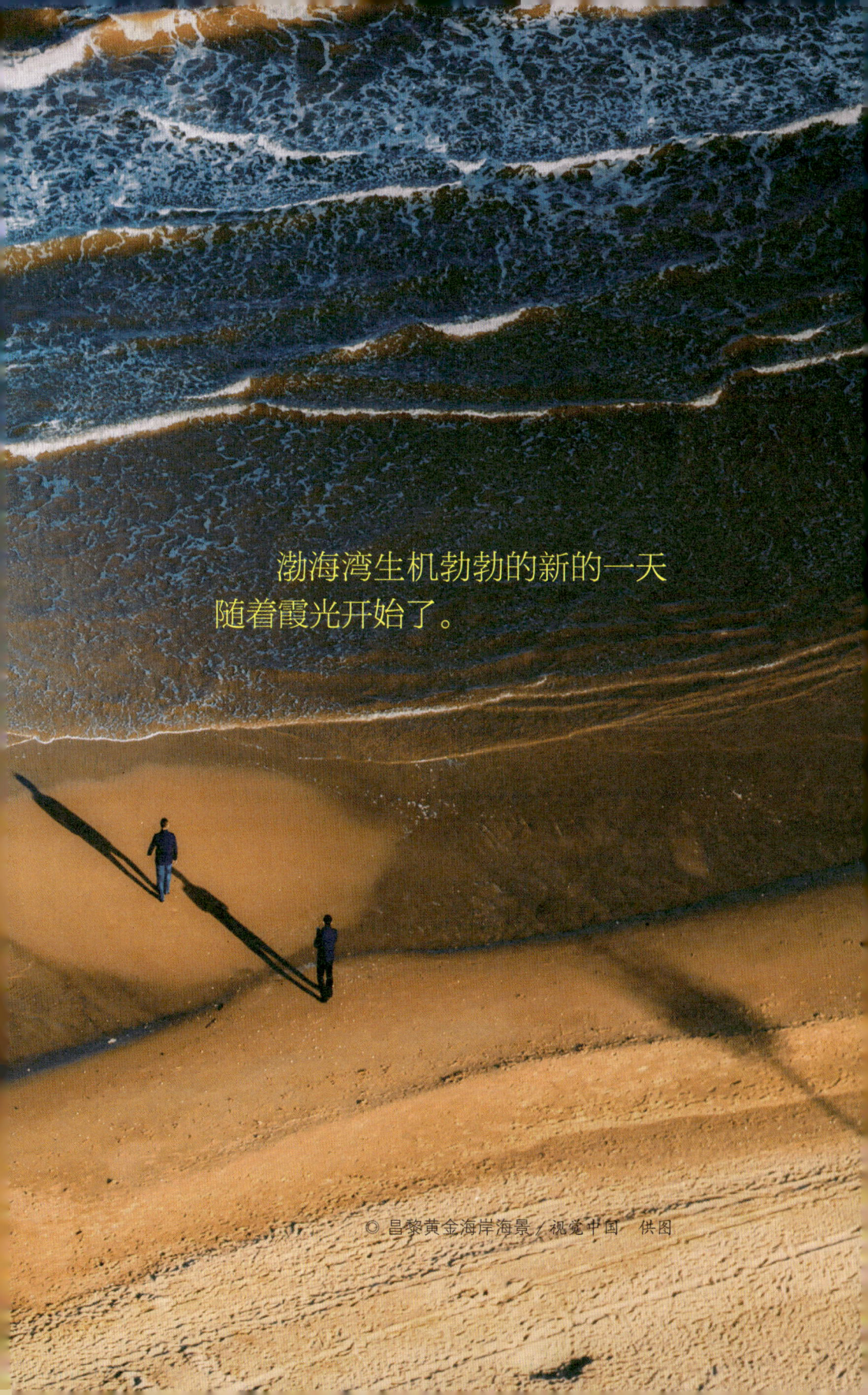

渤海湾生机勃勃的新的一天随着霞光开始了。

◎ 昌黎黄金海岸海景 / 视觉中国 供图

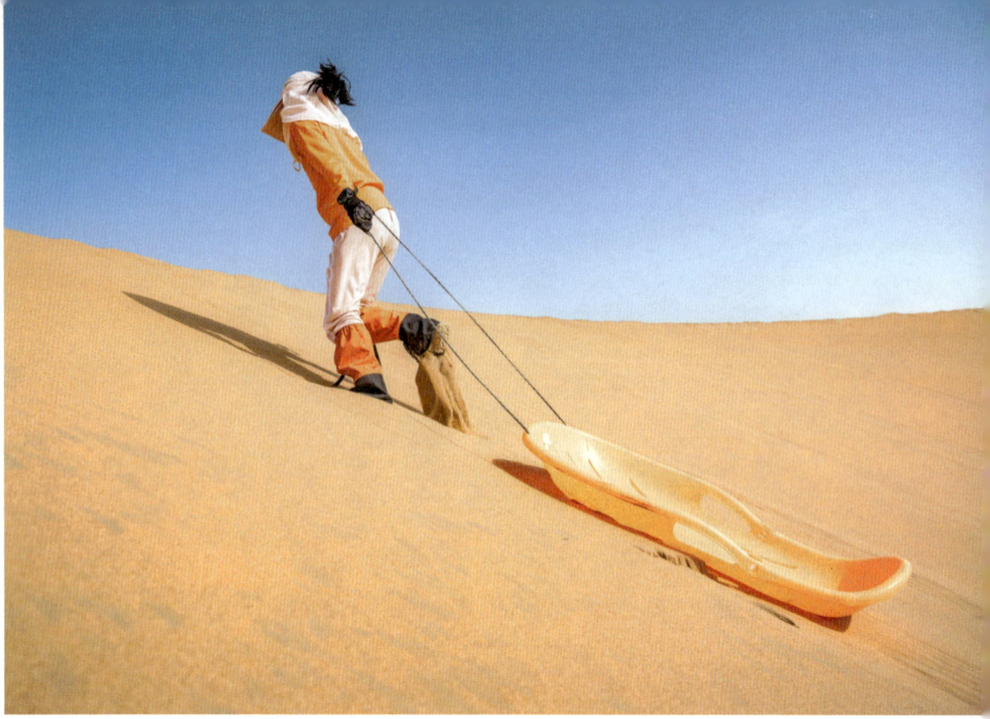

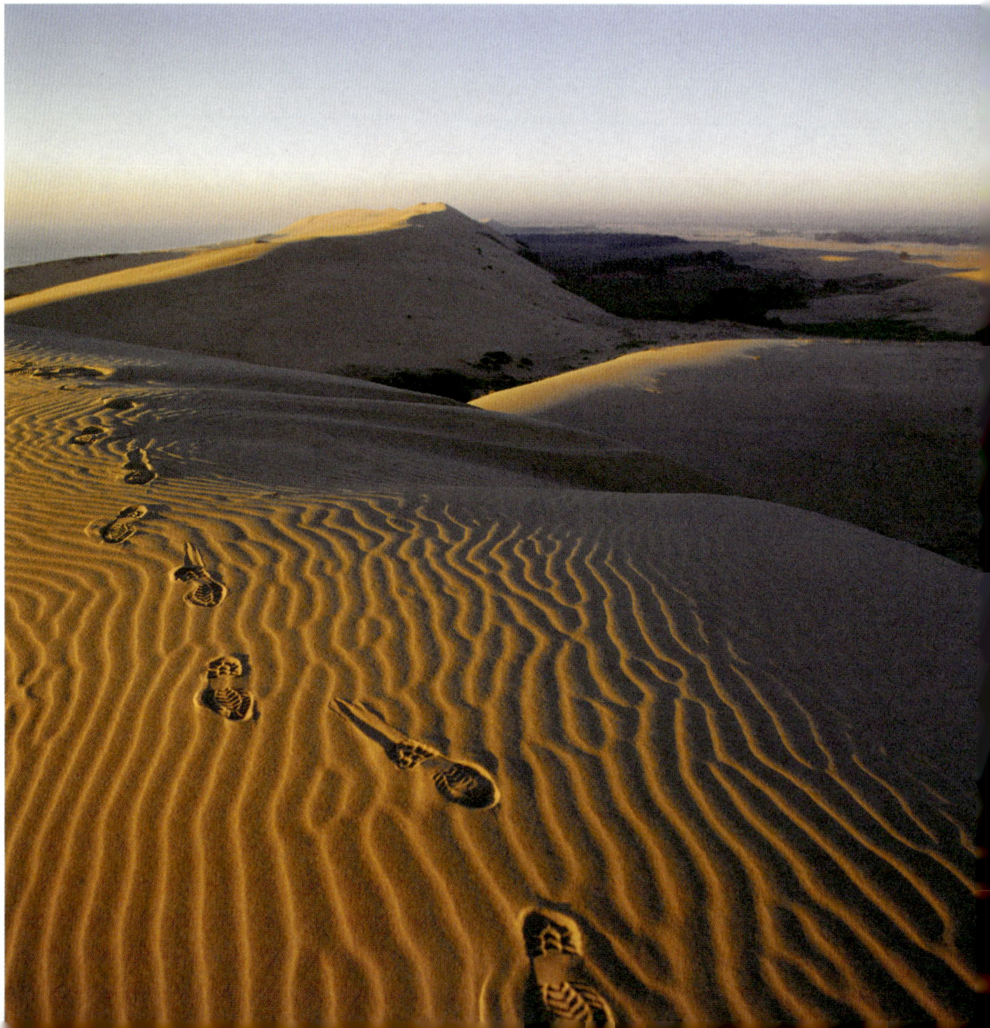

2. 沙漠绿洲

举着伞，赤脚走在沙滩上，享受着风的清凉和沙子的暄腾。

在黄金海岸，准备滑沙的人们排起了长队。

缆车徐徐升上高达四十米的沙丘，站在沙丘顶俯视，沙丘的一侧绿树成荫，被沙漠包围的树林果然翡翠般醒目；沙丘的另一侧，是滑沙场，一块两头微翘颜色鲜艳的塑料滑沙板，微型小船一样，滑沙者变成舵手，坐好，预备，开始，箭镞一样冲下沙丘，因兴奋迸发的尖叫此起彼伏。

神奇的造物主让这里一边是炽热的沙漠，一边是阴凉的绿洲，两个不同的世界，给人难忘的体验。

有的人把整个身子埋到沙子里，用沙浴解除疲劳。小朋友用沙子堆砌着城堡，构筑着自己的童话世界。近海湿漉漉的沙地上，出现一个个小坑，大的如脸盆，小的似足球，坑壁渗出了水，有蛤蜊在水坑里。有的小朋

◎ 左页上图　滑沙／视觉中国　供图
◎ 左页下图　昌黎黄金海岸／视觉中国　供图

◎ 右图　秦皇岛海港区/刘滨义　摄

友把玩着海螺，想从海螺中看出大海的秘密。更多的人穿着五颜六色的泳衣，与海相依。孩子们趴在游泳圈里，被海浪推着涌向岸边。浪花起起落落，笑声与涛声相和。赤脚与浪花相追逐，眺望着远去的帆船，目光随即停留在汪洋大海与金色海滩上，令人不禁感叹大自然的神奇。

　　沙漠，亦作"沙幕"，主要是指地面完全被沙覆盖、植物稀疏、雨水稀少、空气干燥的荒芜地区。但这块沙漠与众不同，海滨沿线内侧有一道人工林带，这归功于当地政府的远见卓识，让这里成为海滨、沙漠、绿洲并存的景观，国内罕见。

　　阳光照过来，晴朗朗的沙滩金灿灿，凉爽爽。在沙丘边走走停停，人

沧海明珠

第三单元

103

影一会儿被阳光扯得很长，一会儿又叠在近处的沙丘，压得很低。沙地给人的感觉很舒服，赤脚走，有点儿像练太极，慢腾腾的，脚陷下去有点儿沉重，每当沙子从脚趾缝溢出来，就会立刻感到轻松。有坡度的沙丘爬起来妙趣横生，蹬一脚只有半步。沙丘上没有路，浅乱的脚印到处都是，来猎奇的人真不少。远处是汪洋如镜的大海，海面漂着几条小船，冲浪的人在浪峰上潇洒。岸上起起伏伏的沙丘像山峰一样排列在海岸，滑沙的人乐此不疲地继续着。

坐在遮阳伞下，有点儿让人恍惚。如果不是蔚蓝大海相伴，真会让人误以为身处千里之外，远在内蒙古的响沙湾大沙漠，或者浩瀚无边的巴丹吉林沙漠瀚海里，甚至神话传说里的火焰山。

◎ 左页图　沙滩／视觉中国　供图
◎ 上图　沙漠绿洲／视觉中国　供图

　　与大漠风情不同的是，沙丘上的绿洲恰如翡翠上的飘花，沙丘的纯净如澄澈水头，绿植的颜色深浅交错，生机盎然，是翡翠中最为名贵的正阳绿。沙丘上的树木密密匝匝，人未入内，先感觉到阴凉的气息。早有鸟从林中飞起来，叽叽喳喳叫成一片。树林边缘，野花在草丛里摇曳着，蝴蝶蜜蜂展着翅膀在花草间穿梭飞舞，细碎的阳光照过来，光线中有七彩闪烁。不敢走入树林深处，唯恐在翠色河流中迷失自己，坐在树荫下，听林涛，时而激越，时而低回，鸟鸣穿插其中，自然的交响令人沉醉。

碧海清波

沧海明珠　第三单元　107

北戴河湿地／张景峰　摄

贰 >> 岛屿风情

1. 菩提岛

在唐山乐亭的大海上,有一座菩提岛。

岛上长满了南方才有的菩提树。

它原名石臼岛……

菩提树,竟然改变了一座岛的名称,听来有点儿传奇。

远远地,看群鸟云集,或在树梢嬉戏、叽叽喳喳,有几只白鸟身形舒展地翱翔着,不知道是白鹤还是白鹭,恰如宋徽宗赵佶的《瑞鹤图》。之后,扑入眼帘的,是一片黄绿相间的林子。沿着木栈道走进树林,阳光在枝头摇晃,地上的影子忽明忽暗。树枝上,缀着数不清的祈福的红布条。这些叫菩提的树,竟看不出主干,三五七八根躯干扭在一起,与北方的树迥然不同。树干高高大大,活像

◎ 右页图 菩提岛／隋军 摄

第三单元 沧海明珠

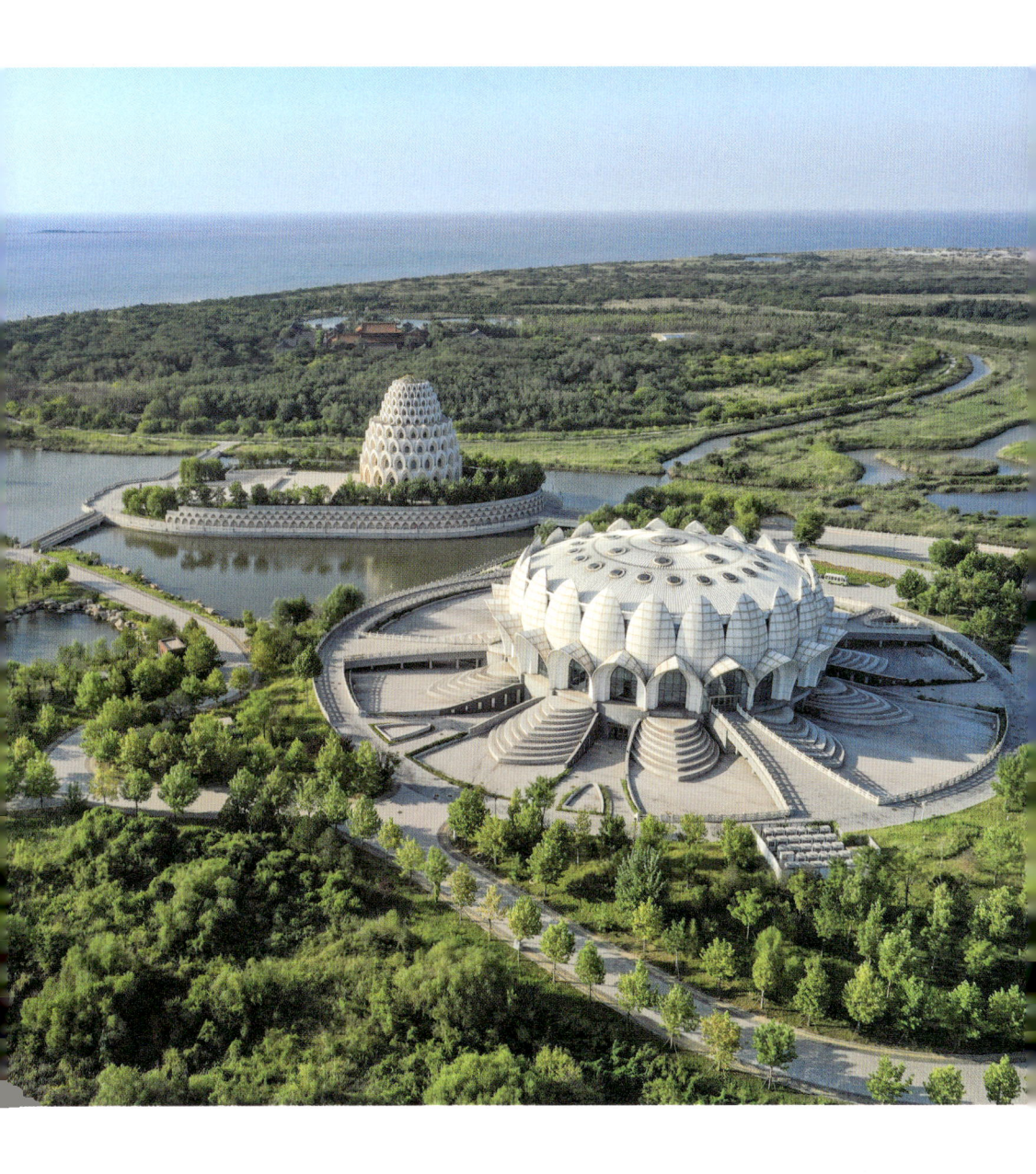

109

伸着胳膊摆头跳舞的外国姑娘，颇有异域气质。

　　树叶咋看都像桑叶，却油光光的，似乎要滴出油来。种子圆溜溜的，黑珍珠似的，星星点点吊在枝上。用手机截取一张菩提树叶子的图片，竟有点儿像蓝底黄叶的花布，缝隙里有绿色，叶子间有饱满的菩提子，一根树枝一半隐在黄叶里。

　　在岛的西南，有棵千余年的菩提树，根须粗大，树冠

浓密，枝叶在海风中婆娑着。鸟在树冠上做窝，吃饱喝足围着树飞翔。

谁也说不清，菩提树是怎么来到岛上的。

也许，鸟类在万水千山的迁徙途中，在此逗留，粪便中的种子，恰好发芽，而后，开花结果，子孙满岛。也许是来自南方的游方僧人，种下了他心目中的菩提。大千世界，必然里也有偶然，菩提树改变了属性，成为不畏寒冷

◎ 菩提岛／滦南县文联　供图

碧海清波 112

的传奇，也成了岛的主人、鸟的"宿主"。如今，菩提树遍布全岛，这是鸟的"反哺"。

岛原名石臼坨，符合岛的形状。

> 据《乐亭县志》载：因为形似石臼，中间凹，四周凸起，故称石臼坨。

岛又名"十九坨"，因唐王李世民出征高句丽，曾在此驻跸十九日，故名。

"坨"很形象。岛四周凸起，中间形成小盆地，水源充足。沟壑纵横，树林、草滩水生植物、鱼虾构成的世界，及岛周围的滩涂地，让菩提岛成为鸟的天堂。每到春秋时节，短尾信天翁、白鹳、黑嘴鸥等罕见的鸟类来此栖息。成千上万的候鸟，把菩提岛当作补充体能的驿站。岛上飞鸟成群、鸣声不绝，大种群的麻雀、喜鹊和珍稀的鹨、隼、丹顶鹤等都栖息在这里。

岛上除了有神奇的菩提树，还有少见的丝棉木、古榆、黄精、白苇。

菩提岛不愧是植物的王国、鸟的乐园。

◎ 左页组图　菩提岛／滦南县文联　供图

2. 月坨岛

在菩提岛东南，隔海，是月坨岛。

月坨岛，得天地造化，因形似月牙而得名。

> 月坨岛，与自然气息浓厚的菩提岛隔海相望，是菩提岛的同胞兄弟，有着同样的生长经历，却有着别样的气质。

沿岸是一座座悬空于海滩的黄顶小木屋，灰绿色墙体，白门白窗白屋檐，荷兰情调建筑，当地人称情侣屋。成双成对的年轻人置身其中，宛如岛上成双成对的鸟，身居大海，可尽情看朝霞初上、夕阳归山，夜晚隔窗数星星看北斗，枕涛而眠。这样的情景，会令置身其中的情侣终生难忘。

◎ 右页图　月坨岛／视觉中国　供图

沧海明珠

第三单元

碧海清波

清晨，隔窗而望，霞光铺满阔大的海面，太阳橙子样被大海驮着，从夜晚跃到人间。归航的渔船披着金色的外衣，犁开海面，撞击出巨大的浪花，船尾的海水呈扇形，白得耀眼，那是渔船乐曲的尾声。来旅游的人，三三两两相约去赶海。大潮已退去，海螺、蛤蜊滞留在海滩，等人捡拾。一艘小渔船靠在岸边，舱里满是杂鱼、虾、海螺。虾毫不客气地蹦跶着，从桶里跳到桶外。船上的女人戴着橡胶套袖、手套，穿着高腰胶鞋，头上被围巾、口罩裹得很严实，利索地分拣鱼虾。

远处的大渔船近了，随风飘扬的三角牙旗上写着"满舱而归"四个金字。

◎ 月坨岛日出／视觉中国　供图

3. 祥云岛

与月坨岛、菩提岛共享美名的还有祥云岛。

祥云岛岛上遍布细软的黄沙，每当阳光照耀，沙滩布满金线，如祥云环绕，故名。

祥云岛呈弧形，像一条在渤海湾嬉戏的巨鲸，潮落时全身浮在海面，涨潮时只露出十一坨小绿岛。它有个双道复式海岸线的地理名称。

在祥云岛，赶过海、日光浴后，如果恰遇开渔期，可

约上三两好友跟随渔民去海中收网。银白的渔网,在海面滴着水花,鲅鱼、海鲇鱼、皮皮虾、章鱼、麻蚶子、螃蟹被麻利地倒入桶中,鱼虾入桶的声音,无比悦耳,与笑声一起在海上回荡。

祥云岛、菩提岛、月坨岛合称唐山国际旅游岛,景色有同有异。菩提岛以菩提树和鸟的王国为优势;月坨岛以荷兰风情为主导,夜景尤其美;祥云岛以优美的天然海滨浴场和金色沙滩为特色。有船队和快艇往来于捞鱼尖(北

◎ 祥云岛／滦南县文联　供图

港）渔码头与三岛。三贝明珠码头是我国最大的旅游码头，通过这个码头向三个岛往返输送游客。

上三岛，游历过花、树、碧海、金沙滩后，可以泡在暖融融的温泉里解乏。

> 如在冬季上岛，翡翠般的菩提岛已成雪岛，玉树琼枝，好一个冰清玉洁的世界。

细心的乐亭人会发现，菩提岛仙气蒸腾，俨然仙境。近年，菩提岛利用天然的雪资源，建起了滑雪场。从哈气如冰的滑雪场归来，泡在热气蒸腾的温泉里，听着悦耳的鸟鸣，惬意得赛神仙。

在月坨岛住宿的人很多，露天温泉临着大海，每当涨潮，海浪咣咣地拍打着海岸，潮水漫过温泉，此时的温泉与大海相连，不分彼此。

三岛与秦皇岛的北戴河、南戴河是姊妹，都是渤海开出的迷人花朵。

◎ 右页图　唐山三岛码头湖心岛屿／视觉中国　供图

第三单元 沧海明珠

碧海清波

叁 >> 历史文化

1. 山海关老龙头

在渤海湾中,有一座以皇帝名字命名的城市——秦皇岛。它所辖的山海关区有一处著名的建筑老龙头,是万里长城的东头起始部分。站在长城"天下第一关"城楼远眺,心胸豁然开朗。徐徐的海风吹拂着燕山内外,绚丽的景致美不胜收。

朝阳下的万里长城,宛如一条沧海蛟龙,爬上燕山,越过山脊,向西一直到大漠深处的嘉峪关。

俯瞰老龙头城墙的巨石,绛红与白相间,龙鳞般交错,延伸至大海,如巨龙向天。蔚蓝、阔大的渤海,天海相接,气象万千。

◎ 左图　山海关夜景／视觉中国　供图

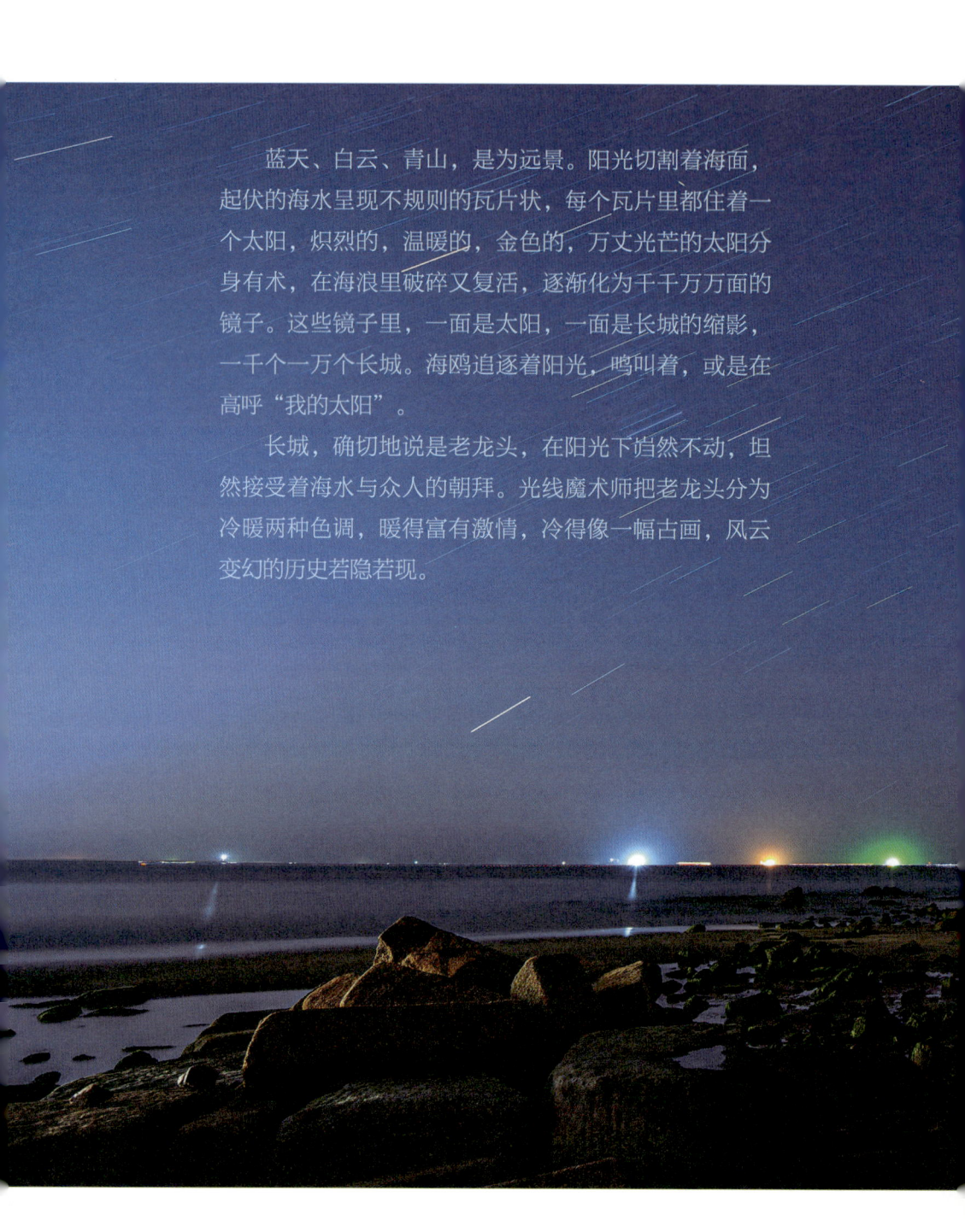

蓝天、白云、青山，是为远景。阳光切割着海面，起伏的海水呈现不规则的瓦片状，每个瓦片里都住着一个太阳，炽烈的，温暖的，金色的，万丈光芒的太阳分身有术，在海浪里破碎又复活，逐渐化为千千万万面的镜子。这些镜子里，一面是太阳，一面是长城的缩影，一千个一万个长城。海鸥追逐着阳光，鸣叫着，或是在高呼"我的太阳"。

长城，确切地说是老龙头，在阳光下岿然不动，坦然接受着海水与众人的朝拜。光线魔术师把老龙头分为冷暖两种色调，暖得富有激情，冷得像一幅古画，风云变幻的历史若隐若现。

山海关，在峻峭山岭和潮来浪涌、浪花飞溅的大海间蜿蜒，是代表明长城关隘系统的典范，又被称为关城，距今已达六百多年。从古代的军事重镇到现代化的都市，一砖一石都承载着人类文明的兴衰与荣枯。

山海关的设计者利用山与海的天然屏障，自老龙头至角山又修筑了关城、瓮城、罗城、翼城、前哨城堡、海防卫城等，与长城一同成为独特严密的城防布局——这就是"关"。

◎ 老龙头星轨／王爱忠 摄

"天下第一关"的匾额，为正楷所书，笔力凝重、遒健，气势豪壮。

山海关被称为天下第一关，成为闻名遐迩的名胜，不仅因为珍贵的巨匾。一幅《万里长城山海关古建筑复原图》证明了它无可取代的历史身份。

山海关是秦代驰道"碣石道"的要冲。碣石入大众的眼，盖因曹孟德之《观沧海》，抄录如下：

东临碣石，以观沧海。
水何澹澹，山岛竦峙。
树木丛生，百草丰茂。
秋风萧瑟，洪波涌起。
日月之行，若出其中；
星汉灿烂，若出其里。
幸甚至哉，歌以咏志。

◎ 右页图　在山海关迎接新年曙光／崔重辉　摄

第三单元

沧海明珠

◎ 老龙头 / 孙志刚　摄

第三单元 沧海明珠

碧海清波

那时的碣石，说不定就在海边。两千年的时光，渤海一直在变化着，增大还是缩小了呢？也许并不重要。

渤海湾，因为有了戚继光、秦良玉、史可法等众英雄铁血铸就的雄关，正气凛然，风光旖旎。

20世纪80年代，在北戴河金山嘴、横山区域内发现了精美的秦饕餮纹瓦当、夔纹大瓦当，及陶井和地下管道。通过六年的挖掘，经国家多位专家考证，证明其是秦始皇东巡碣石时的行宫遗址，与《史记》记载吻合。这些遗存，成为秦始皇崇尚大海的文化标志。

数十年后，该遗址被公布为全国重点文物保护单位。

秦皇岛，的确与秦始皇有关联。

◎ 左页图　山海关老龙头之夜／张丽　摄

2. 神秘老别墅

"红顶素墙、高台明廊",在海边游玩,被北戴河海滨独具风情的老别墅所吸引。

蓝天、碧海、黄沙、别墅在渤海形成工笔画般的意象。凝视波涛涌动的大海,仿佛千军万马驰来。平视中,海似乎高于海平面。远处的海水翻卷着,浪花如着白衣的先锋一样呼啸而来,一头撞到老虎石上,哗哗地荡出色如翡翠的水花,美妙至极。

神秘的老别墅,安静地隐身在现代化楼宇间,这就是北戴河近现代建筑群。一百多年前,由外国传教士等陆续修建而成。它们风格各异,代表着不同的国度和民族风情。

◎ 右页上图　北戴河老别墅／视觉中国　供图
◎ 右页下图　北戴河老别墅／刘洪辉　摄

沧海明珠 第三单元

碧海清波

山海关南的石岭，罗马式、英国式、美国式、维多利亚式、法国式、东洋式、拜占庭式别墅，异彩纷呈，常常让人误以为到了国外。

绿树掩映，红顶如花，院内绿草如茵，雕花门、回廊、古老的紫藤花错落有致，给人传统画移植到西洋景中的感觉，雅致，幽静。别墅内飘出浪漫的钢琴曲，与海涛声呼应着。

北戴河东经路5号院，是著名的东金草燕别墅，也称何香凝别墅。东金草燕别墅带有唐朝建筑风格的影子，初为林伯铸建造，后为日本人东金草燕所有。砖木结构，五间正房，坐北朝南，中式硬山加卷棚式建筑，两侧带耳房。前廊有落地木窗通风透光。廊下放着几把藤椅，藤萝从廊顶垂下来，是北戴河近代唯一的中国传统梁架式建筑。

拜占庭建筑特色是高大穹顶；沙石装饰的为日式意境；纯美式建筑，花岗岩为墙，灰绿色石片为瓦，古朴

◎ 左页图　北戴河老别墅／张景峰　摄

大方。这些别墅的房顶也各具特色，有双尖顶、单尖顶、歇山顶、单坡顶、混合顶等；瓦也千姿百态，有灰砖瓦、红砖瓦、牛舌瓦、铁皮瓦、彩石瓦，林林总总，有的朴素大方，有的鲜艳夺目。

阳光躲在云彩后面，岸上的别墅、树木在光线中渐渐变暗，像一幅曝光过度的剪影，在虚幻与现实间渐变。

海天一色里，岸上的别墅成为永不停息的大海的参照物，人类、大海、城市、村庄、港口、江河湖海、花鸟鱼虫，生活中的一切，都是自然的组成部分。眼下的大海与别墅，互为衬托，成为秦皇岛不可替代的风情和风景。

海风吹来，老别墅的红顶在绿树丛中露出来。高楼大厦间，这些历经百年风雨的老建筑成为秦皇岛历史的见证者和守望者，其独有的文化气息已成为岛城文化的一部分。

◎ 下图　北戴河陶通伯别墅／视觉中国　供图
◎ 右页图　北戴河老别墅／刘洪辉　摄

沧海明珠

第三单元

扫码听书

扫码看视频

第四单元

三港鼎力

壹 >> 秦皇岛港

"无风三尺浪",海涛不知疲倦地拍打着堤岸,海风刮得各色旗帜猎猎作响,像进攻的号角持续吹响。在秦皇岛港码头,靠泊在此的运煤船正缓缓驶出航道。船尾,白色的浪花翻滚,像

© 秦皇岛港 / 视觉中国 供图

是一条巨大的白鱼曳着宽大的长尾巴畅游，在海面上划出一条水线，而后渐行渐远，消失在云海深处。一只只海鸥拍打着翅膀飞上飞下，像是在欢送出港的，又像是在欢迎进港的。

碧海清波

天蓝海碧，港口仿若栖在水波上的一只大鸟，随时准备翱翔天际。港口对于一座城市经济的意义，对于整个京津冀地区乃至全国的经济意义，恰如这只奋飞的大鸟，起着领飞的作用。

港口在海边，而海，对于临海而居的秦皇岛人而言，是日常的风景。推窗可见：四季的海，不同天气情况的海，不同脾气的海；金黄色的沙滩，直漫向远方；港口码头，意气风发，车船川流不息、络绎不绝。

这里的故事，与最早的自然港口，重合又交融。耳熟能详的故事，将会随着发展一代代流传下去。

碣石，这个字眼并不陌生，曹操的《观沧海》中就有，秦始皇命令方士入海求仙的地方，史称碣石。

作为燕国通海门户，碣石港早已成为与各诸侯国来往的通道。彼时，古碣石港舟楫竞发，商贾云集，一度为中国古代的五大港口之一。

时光的册页哗哗翻动，略一沉吟，隋唐时期就到了。隋唐在卢龙修造了人工寄泊港平州港，漕粮由此接卸。明

◎ 左页图　秦皇岛港／张军栋　摄

初，在山海关潮河口出现了另一座港口，码头庄港，用来接卸、存储、转输由海上运来的大量物资。

秦皇岛一带的港址，就是这样断断续续地更替着，也延续着。历经碣石、平州、码头庄、秦皇岛东南山（秦皇岛老港区）以及东港区的五次变迁，空间跨度约八十公里。

秦皇岛港，风平，浪低，水深，不淤，不冻。

立夏后，岛上开始"棹舟捕鱼，一时聚小艇数十，逐队上下，随波出没，晚归渔歌互答，饶有佳趣"。"秦岛渔歌"曾被列为渝（榆）关十四景之一。出海的船只归港，鱼虾满舱，渔民微笑着携筐挑担上下码头。亦渔亦运，是码头带来的稳妥与底气。

如今的南山老港区已经不再装卸货物，而是开辟成了西港花园，也叫西港开埠地。

对面不远处的东港区，高高的装船机吊臂在晨曦中微露峥嵘。远洋货轮在海面缓缓驶过。如今的秦皇岛港分为东、西两大港区，已经成为一个以能源运输为主的

◎ 右页组图　秦皇岛港／视觉中国　供图

三港鼎力

碧海清波

综合性国际贸易口岸，是世界上最大的煤炭输出港和散货港。东港区以能源运输为主，拥有世界一流的现代化煤码头；西港区以集装箱、散杂货进出口为主，拥有装备先进的杂货和集装箱码头。

说到西港花园，还要谈谈绿色港口。

2018年11月，秦皇岛港首个岸电系统为货轮连船并网供电，秦皇岛港具备了高压岸电供电能力。走绿色低碳循环发展道路，在实施碳达峰、碳中和行动中实现"十四五"转型升级新跨越，是港口一直努力的目标。港区内，实施了翻车机给料器分级分层洒水，从源头精准控尘；推进装卸作业大型设备雾炮抑尘改造和转接塔微雾除尘技术改造；开展皮带机洗带装置改造，封闭皮带线约二万六千米，逐个破解煤炭作业全流程的抑尘难点……探索科学化管理措施，开展自主科技创新，秦皇岛港全面提升大气污染综合治理效果，构筑起全流程、全时段、全季节的粉尘防治的坚实防线。

秦皇岛港，就像一只羽翼丰满的大鸟冲往海天交界处的远方。

◎ 左页图　秦皇岛西港花园码头／雷松　摄

贰 >> 唐山港

艳阳高照，港区内风平浪静，波光粼粼。在曹妃甸港区文丰码头，靠泊一艘轮船。天空与云朵、巨大的船体，旁边引颈而望的红色门吊，一起临水照影，产生了奇异的观赏体验。

唐山港也是一港两区，分别叫京唐港区和曹妃甸港区。

京唐港于1989年8月动工。河北省始终把京唐港列为重点工程，唐山市则把京唐港作为以港兴市的"龙头工程"。经过十几年建设，已经建成了散杂、件杂、多用途、集装箱、煤炭专用、水泥专用、液化石油气专用等各种功能的泊位，跨入了国家千万吨大港行列，航线通达国内外多个港口。京唐港发展成了服务京津冀和华

◎ 右页图　唐山港曹妃甸港区／视觉中国　供图

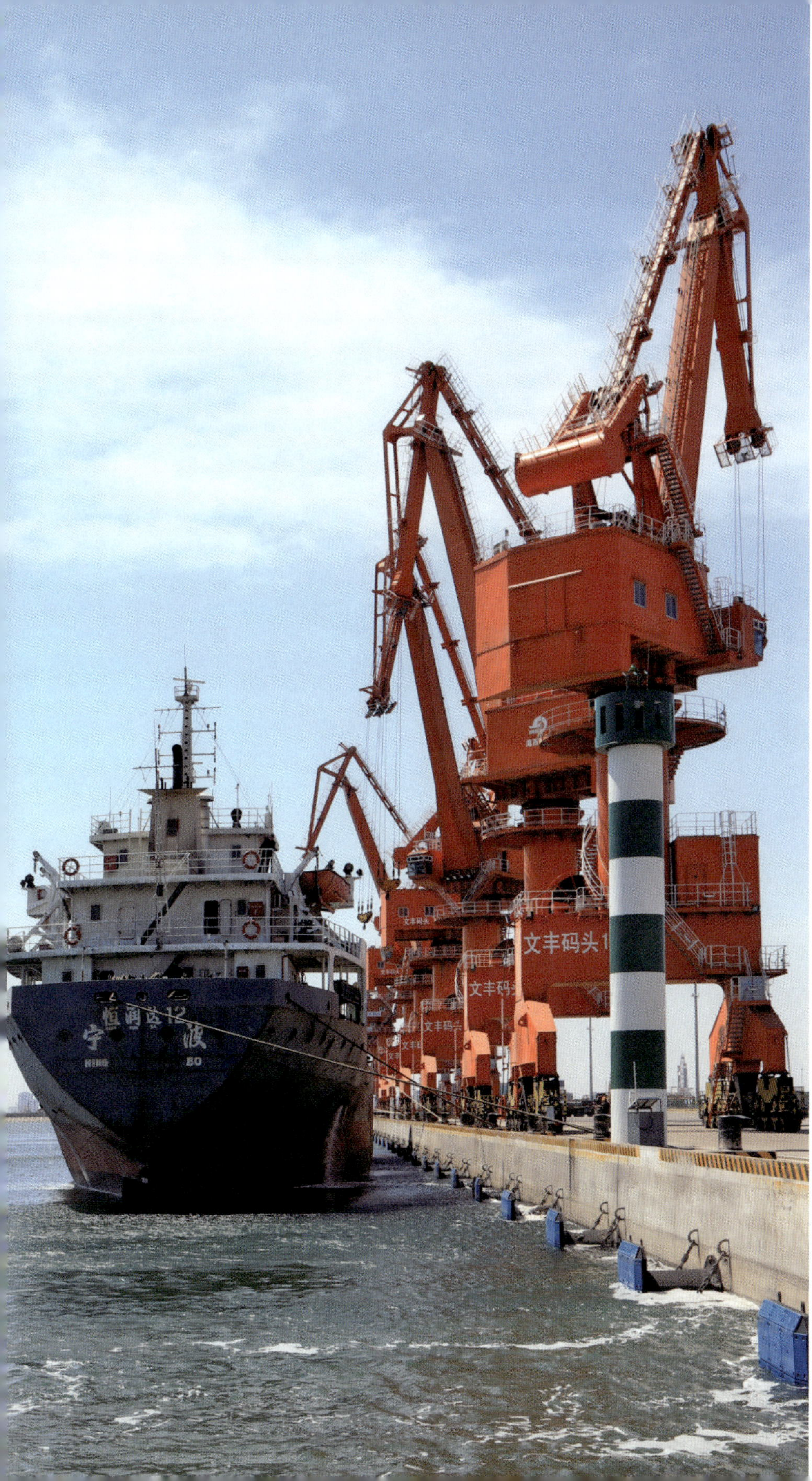
宁 波
NING BO
文丰码头

碧海清波

◎ 左图　唐山港京唐港区／杨建萍　摄

北、西北地区的区域性重要港口之一，成为唐山市现有经济资源中最具辐射力和凝聚力、最有发展前景的基础性资源。

　　载满了煤炭的大船还没出港，装船机、堆料机、卸料机便偃旗息鼓，穿着蓝色工装的工人们，正在忙着检修设备。往远处看，锚地里等待靠港的船只影影绰绰，像一只只暗色甲虫，不移不动。

　　在唐山港京唐港区红色的矿石粉堆积场，锚地不时有汽笛声传来，这是待靠泊的货船。运自巴西、澳大利亚的铁矿石从这里卸货，然后运往唐山本地和承德的钢厂。

　　这里的集装箱码头，色彩斑斓，蔚为壮观。装船机伸出巨臂，探出"大手"，抓住一只集装箱，轻轻放到船上。看上去的轻而易举，让人忽视了这些都是重达几十吨的大家伙。

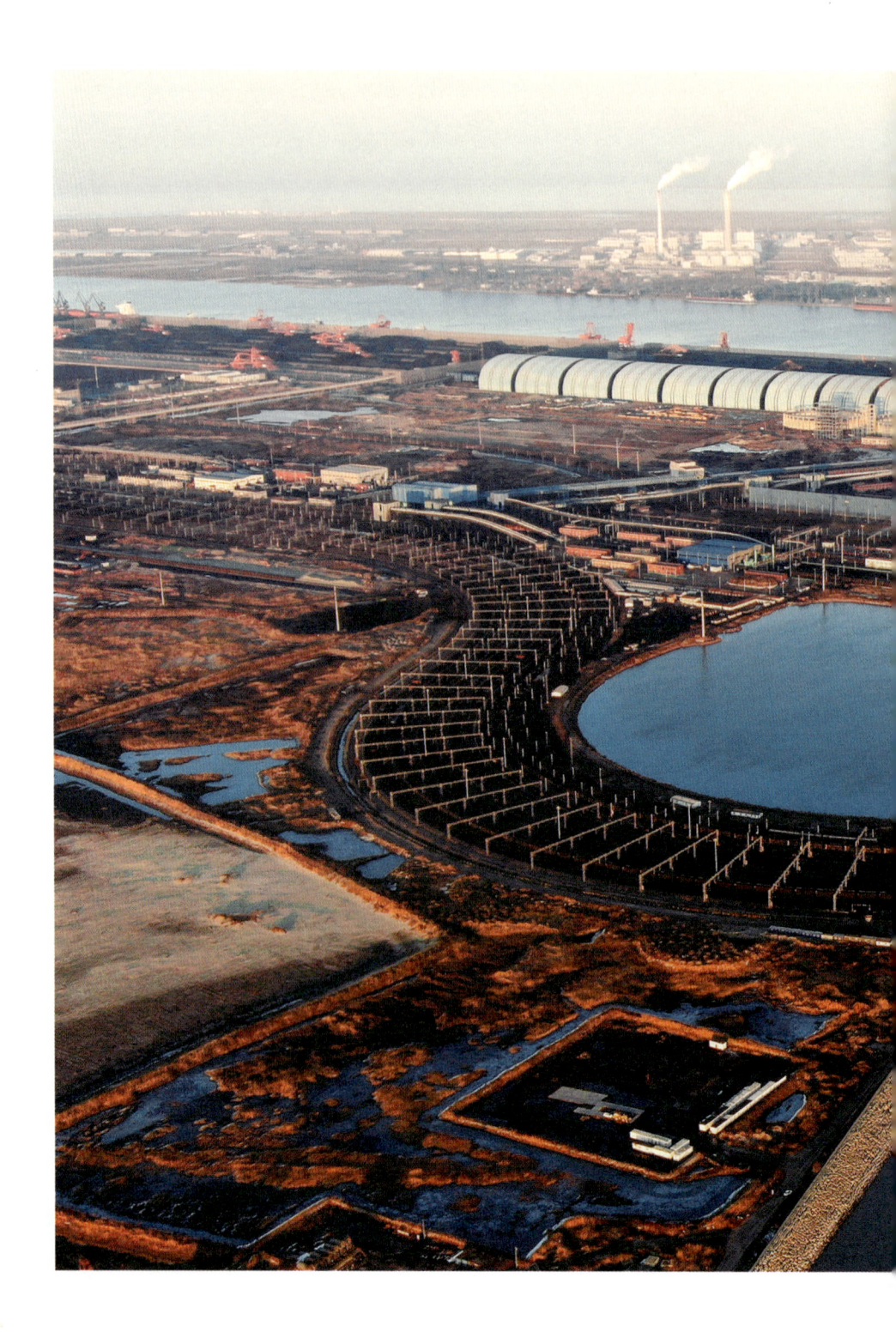

碧海清波

三港鼎力　第四单元　153

○ 曹妃甸煤码头铁路枢纽／庞晓勇　摄

曹妃甸港区处于环渤海经济圈前沿，毗邻京津冀城市群，有利于京津冀产业布局向沿海推进。

开发建设曹妃甸港区，是京津冀及周边地区钢铁、石化产业发展的客观需求。

曹妃甸地处渤海湾湾口北侧，拥有"面向大海有深槽，背靠陆地有浅滩"的优越自然资源。

建港前，曹妃甸只是一处孤岛，距离大陆还很远。潮涨时，隐隐约约露出一线；潮落时，狭长的小岛从水里冒出来，也不过几间房子大。当时的曹妃甸还叫曹妃殿，方圆不过几公里，荒岛上有两个建筑：一座破旧的古庙，一座用来给渔民引路的灯塔。

◎ 下图　曹妃甸港集装箱码头／庞晓勇　摄
◎ 右页上图　曹妃甸码头／视觉中国　供图
◎ 右页下图　曹妃甸矿石码头／视觉中国　供图

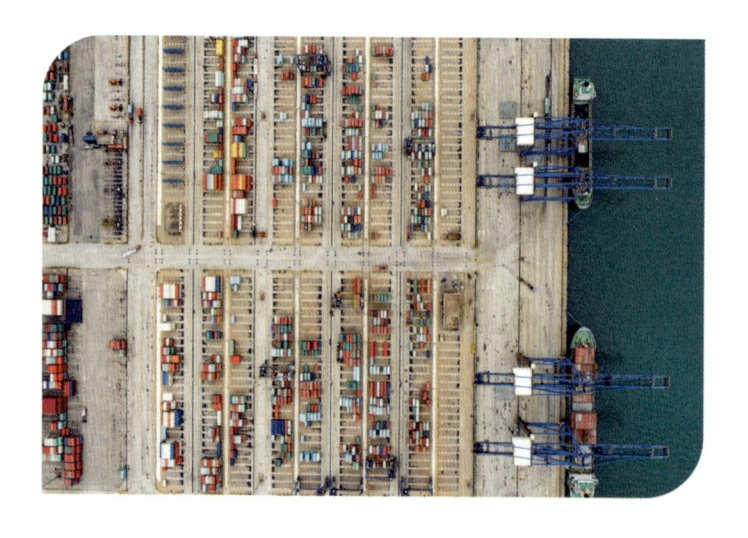

第四单元 三港鼎力

◎ 上图　曹妃甸港矿石码头／成贵民　摄

　　砂与沙同音，一个从石，一个从水，天作的隐喻。曹妃甸属砂质海岸，颗粒感明显。这也是曹妃甸港吹沙造地的砂源，是大自然的馈赠，一方水土成就了赫赫有名的曹妃甸。

　　港区建成，昔日荒寒的滩涂焕发了生机，与时代契合的图景徐徐展开。

　　曹妃甸煤炭公司通过改造，成为河北港口集团首个无人化堆取料作业的码头。

新港湾公司加速设备升级改造，积极拓展新工艺，大力实施降碳行动，全部场桥由柴油发电机改变为市政用电，提高了能源使用效率。同时，在港区推广绿色照明及太阳能供热技术，既节约了电能，又减少了碳排放量。

新型的港口，新型的产业，仿如浓墨重彩，以大开大合大手笔，描绘了一幅欣欣向荣的港区景象。

> 雨雾中的曹妃甸港，半隐半现，像隔了一层轻纱，让人生出探究的欲望。

远处的船只隐在雨雾里。近处的堆场里，矿石堆成一座座小山。这一刻，港区成了一本硕大画册，晴是风景，雨也是风景。

风浪里的曹妃甸，一艘轮船在颠簸中不能靠近码头。港口待命的三条拖轮立刻出动，船头、船身、船尾，三个点助力，浪花飞溅，像三条小鲸鱼护卫大鲸鱼般，帮轮船靠泊。

日落时分，风平浪静，停在港区的轮船倒影映在水中，半个清晰，半个模糊，成了写实加印象派的魔幻之作。更多的轮船与港口一起呈现金橙色的瑰丽色彩，无比恢宏。

碧海清波

叁 >> 黄骅港

黄骅市冯家堡村，与海近在咫尺。

涨潮时，哗哗的浊浪吐着泡沫涌到村头的房基。在黄骅港建成前，这里的渔民一辈辈都盯着潮涨潮落出海。落潮时，渔码头一地淤泥。虽然守着渤海宝藏，却只有小木船连接着外面的世界。苦海沿边，是那时的写照。

秦始皇派徐福东渡出海求仙，海上丝绸之路萌芽。徐福东渡，从渤海启航，两千年后，位于黄骅的海岸再度沸腾。2010年8月，黄骅综合性大港开航，成为亚欧大陆桥新通道。

昔日面朝大海却还闭塞的黄骅，依托港口有了海陆数条通道，集疏运便利。公路"三横四纵"，铁路有朔黄铁路、黄万铁路、沧钢铁路、黄大铁路，海上航线通达四大洋。

◎ 黄骅港/视觉中国 供图

目前，黄骅港是现代化综合服务港、国际贸易港、"一带一路"重要枢纽、雄安新区便捷出海口、京津冀协同发展的重要平台。

以黄骅港为中心的航线，连通了国内国际的多个目标港口，对冀中南、西部地区调整产业结构，转变发展方式，推进全方位开放，影响深远。

关注黄骅港，势必会被其吞吐量吸引。散货吞吐量、集装箱吞吐量、原油吞吐量和煤炭吞吐量，都让人

◎ 上图　黄骅港／视觉中国　供图

惊艳。在环渤海经济圈，黄骅港是冀中南和西部地区最便捷的出海口。

货轮挨着码头泊着，黄色的海水漾着浊浪，红色的装船机举着大铲威武地站在码头。一辆辆货车有序卸货，五颜六色的集装箱整齐地码放在货台上。

蓝天白云映照，码头上货物装卸、驳运、仓储井然有序。

传统煤港大多数采用洒水降尘工艺，但除尘效果不

碧海清波

佳。为彻底将煤尘抑制住，黄骅港务公司还发明了多个抑尘装置，包括堆料机臂架洒水系统、皮带机洗带装置等，系统性解决了北方煤炭港口粉尘控制难题。

　　近年来，黄骅港构建了全流程智慧抑尘体系，建设应用本质长效抑尘系统、堆场智能水幕系统、煤污治理系统、生态环境智能监测系统等绿色创新成果，用以树立港口"运煤不见煤，装卸不见污"的环保品牌，全力创建花园式煤炭港口，实施临海盐碱地绿化全覆盖工程，建设"两湖三湿地"生态系统。

**　　黄骅港不仅是要成为一个综合大港，还要成为一个生态大港。**

　　坐在直升机里俯视锚地，那片海，成了一块色彩斑斓的画布。那些停泊着的船，成为碧海上亮丽的点缀。

◎ 左页图　日出黄骅港／王洪山　摄

◎ 右上图　港口舶船整装待发／刘国昌　摄
◎ 右下图　朝阳下的黄骅港／李晓阳　摄

朝阳下,"黄骅港"三个字熠熠生辉。渤海涛声不息,黄骅港昼夜不息。

此前,黄骅只有两个千吨级小码头,规模有限,处于粉砂淤泥质岸线,建港条件并不突出。为了论证黄骅能否建港,海陆空全方位反复勘探、测量。最终,黄骅港从备选港址中胜出。

1997年9月23日,国务院正式批复沧州黄骅港工程开工报告。

昔日的苦海沿边,如今已经壮大成四大现代化服务港区:煤炭港区、散货港区、综合港区、河口港区,区域分明。

以黄骅港为中心的航线,连通了国内国际的多个目标港口。山西、河南、陕西等地都是受惠者。

港口附近有个贝壳湖,几个小岛状如贝壳,有茂盛的植被覆盖,一座塔矗立在水中平台上。新兴的黄骅市就在岸上。

165 第四单元 三港鼎力

走在黄骅港工业旅游景区的小路上，迎面花儿含笑，绿草如茵，湖光潋滟，细柳摇曳。如诗如画的景致，与耸然而立的机械设备彼此映衬，散发着现代化煤港的独特魅力。

蓝天碧海，一艘艘满载的货轮已迎着阳光出发，船头用力犁起一道道浪花，迅速地沿着航线驶往黄海，奔

◎ 下图　黄骅港/《生态河北》　供图

向太平洋。

  以秦皇岛港为龙头的河北三港，正展现出时代赋予的新风采。

  碧海清波助力港群崛起。秦皇岛港、唐山港、黄骅港，三港鼎力改变了河北"有岸没海"的现状，临港产业愿景终于实现。

碧海清波

延绵千万里的长城，至山海关老龙头，雄健壮美中融入了海洋气质，成为一种特殊的文化符号。浪花飞溅，见证了人间的沧桑巨变；烽火狼烟，化为和平年代的车水马龙。

回头看，历史的渤海已化入岁月的烟尘。它在河北留下的丰美印迹，却与时俱进，沿海的制盐、养殖、美景、美食、港口，以及在海边湿地驻留的美丽的水鸟……林林总总，共同绘制着繁盛的现代渤海图景，构建着生态大河北的海洋篇章。

◎ 左页图　海港疏影／杨建萍　摄

扫码听书

扫码看视频

第五单元

冀景撷英

北戴河

北戴河沙软潮平，坡度平缓，海岸曲线优美，有"观鸟的天堂"之誉。这里诞生了中国第一条旅游铁路专线、第一条航空旅游航线等诸多中国旅游史上的"第一"，被誉为中国现代旅游业的"摇篮"，是全国最大的休疗基地和健身康复中心之一。

◎ 下图　北戴河／于文江　摄
◎ 右页上图　红霞满天／薛晓丽　摄
◎ 右页下图　北戴河／周秦明　摄

冀景撷英 第五单元

南戴河

南戴河与闻名遐迩的北戴河一河之隔，有多个海滨休闲旅游景点。其中，南戴河国际娱乐中心集生态休闲、海滨度假、体育运动于一体，滩阔水清，设备完备，沙质细腻，是一座独具特色的海滨主题公园。

◎ 右页上左图　南戴河／视觉中国　供图
◎ 右页上右图　南戴河海滩／视觉中国　供图
◎ 右页下图　南戴河日出／视觉中国　供图

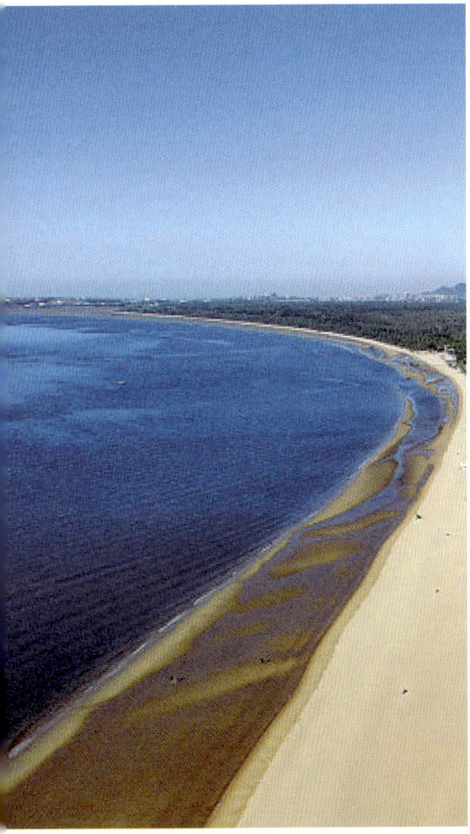
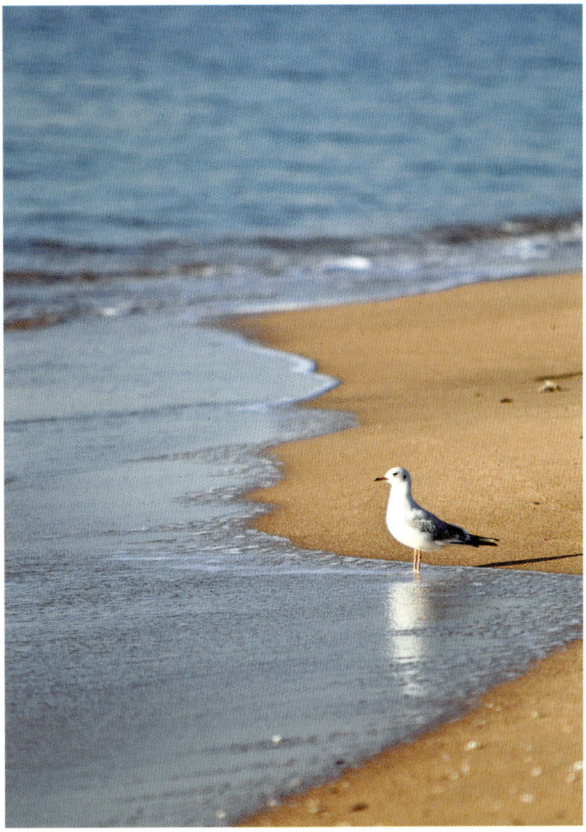
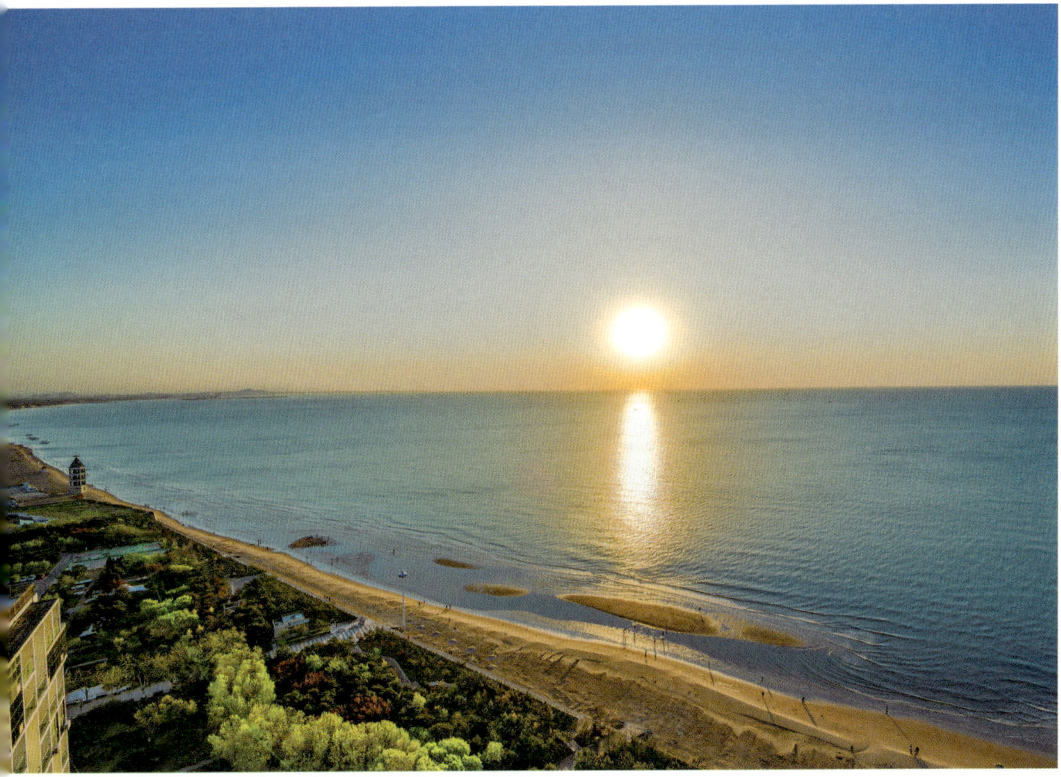

昌黎黄金海岸

昌黎黄金海岸位于秦皇岛市昌黎县境内，海岸边沙子松软，色如黄金，故名。景区中的翡翠岛被誉为"沙漠与大海的吻痕"，是滑沙、滑草、沙滩排球及海上运动的好去处。

◎ 左页图　昌黎黄金海岸冬日日出／视觉中国　供图
◎ 下图　昌黎黄金海岸海景风光／视觉中国　供图

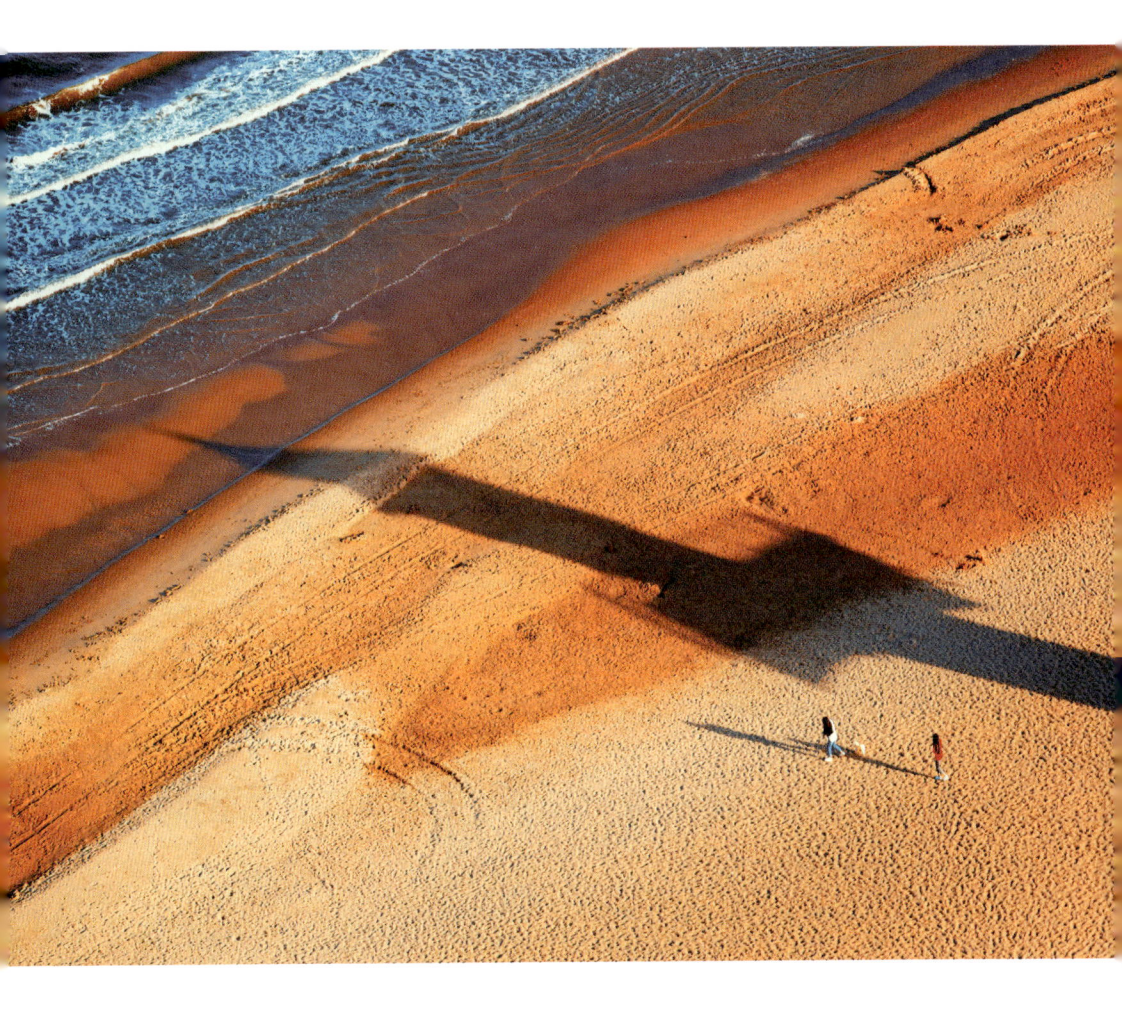

老龙头

◎ 左页图　山海关之夜/张丽　摄
◎ 上图　老龙头/孙志刚　摄

　　老龙头位于秦皇岛市山海关区城南五千米处，是万里长城唯一集山、海、关、城于一体的海陆军事防御体系。明朝时的长城横跨崇山峻岭，蜿蜒如一条巨龙入渤海，故称"老龙头"。

鸽子窝公园

  鸽子窝公园又称鹰角公园,位于北戴河海滨的东北角,常有成群的鸽子或朝暮相聚或窝于石缝之中,因此得名。鸽子窝公园是观赏海上日出的最佳之处,夏日清晨,这里常会云集数万名游客观赏"红日浴海"的奇景。

◎ 左页图　鸽子窝公园／赵超　摄
◎ 下组图　魅力鸽子窝／鲁家玢　摄

碧螺塔公园

◎ 下图　俯瞰碧螺塔／薛晓丽　摄
◎ 右页上图　碧螺塔公园／张景峰　摄
◎ 右页下图　碧螺塔冬韵／薛晓丽　摄

碧螺塔公园位于北戴河海滨最东端,北临游船码头和鸽子窝公园,南邻金山嘴和老虎石公园,东临大海。碧螺塔为公园的主景建筑,造型新颖别致。园内绿树成荫,沙软潮平。这里海洋生物极其丰富,是天然的垂钓宝地。

唐山湾国际旅游岛

唐山湾国际旅游岛位于唐山市乐亭县，由月坨岛、菩提岛、祥云岛及其北侧陆地构成，三座海岛形态各异、风格迥然，集海岛风光、绿色生态于一体，以休闲、养生、避暑、观鸟为特色。

◎ 下图　祥云岛／滦南县文联　供图
◎ 右页上图　月坨岛／视觉中国　供图
◎ 右页下图　菩提岛／视觉中国　供图

第五单元 冀景撷英

仙螺岛

仙螺岛位于碧海金沙南戴河近海一公里处，是依据民间海螺仙子的美丽传说而建。该岛由一千零三十八米的索道连接岛屿海岸，乘跨海索道可游览海螺仙子、三道关、海中海、海中喷泉等造型古朴典雅的景观，而且在观光游乐塔上可以观看南戴河全景。

◎ 右页组图　仙螺岛／视觉中国　供图

第五单元 冀景撷英

翡翠岛

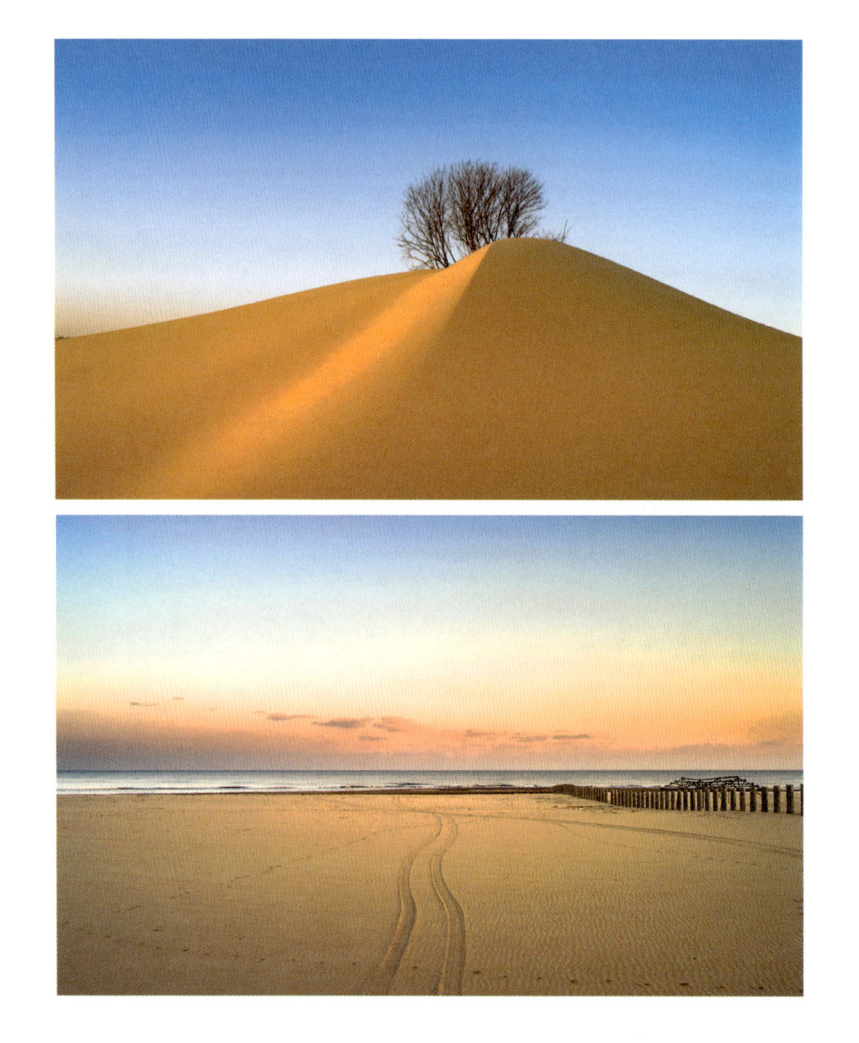

翡翠岛位于昌黎县黄金海岸南部沿海,东、北、西三面被渤海和七里海环绕,是一座由金色细沙和绿色植被相间构成的半岛。岛上沙峰连绵起伏,陡缓交错,宽广静谧的大海与雄伟壮观的沙丘相拥,构成一幅刚柔并济、动静同处的美妙画卷。

◎ 下组图　翡翠岛沙丘／视觉中国　供图